无障得阅读版

小学生**名家经典**快乐畅读

四年级下

米·伊林
十万个为什么

[苏]米·伊林 著
童未 译

北方联合出版传媒（集团）股份有限公司
辽宁少年儿童出版社
沈阳

图书在版编目（CIP）数据

米·伊林十万个为什么 /（苏）米·伊林著；童未译 . -- 沈阳：辽宁少年儿童出版社，2022.1
ISBN 978-7-5315-8761-3

Ⅰ．①米… Ⅱ．①米… ②童… Ⅲ．①科学知识—青少年读物 Ⅳ．①Z228.1

中国版本图书馆 CIP 数据核字（2021）第 213190 号

出版发行：北方联合出版传媒（集团）股份有限公司
　　　　　辽宁少年儿童出版社
出 版 人：胡运江
地　　址：沈阳市和平区十一纬路 25 号
邮　　编：110003
发行部电话：024-23284265　23284261
编辑室电话：024-81060398
E-mail:qilinln@163.com
http://www.lnse.com
承 印 厂：长沙鸿发印务实业有限公司

责任编辑：武海山
特约编辑：高洁琳　张淳芮
责任校对：赵　博
封面设计：阿　娅
版式设计：徐辉悬
责任印制：吕国刚

幅面尺寸：787mm×1092 mm　1/16
印　　张：10　　　　　　字　数：200 千字
出版时间：2022 年 1 月第 1 版
印刷时间：2022 年 1 月第 1 次印刷
标准书号：ISBN 978-7-5315-8761-3
定　　价：24.80 元

总序

　　读书的重要性已经不需要再多说。"读书破万卷，下笔如有神"
——博览群书，能让自己的表达有分量，让笔下的文字有力量；"读万
卷书，行万里路"——在拥有过人的学识的同时，还要将这些理论联
系实际，真正做到学以致用，才算读得了书，达到读书的最终目的。

　　那我们到底要读些什么书呢？

　　阅读文学经典是大众历来倡导的一种方式。我们跟随作者，与一
个个鲜活的人物相遇，他们的曲折人生似乎也变成了我们的经历，在
感同身受的过程中，我们看透历史、领悟人生，也锻造了品行。

　　但这终究是高于生活的艺术，如果我们对于生活本身都认识不足，
又何谈高于生活的领悟呢？对此，科普读物能很好地弥补这一空缺，
帮助孩子形成对生活的正确认识，也为孩子理解高于生活的艺术奠基。

　　本着这样的理念，我们精选这套科普丛书，希望从以下几个方面
来帮助孩子成长：

（一）紧扣课本，精选书目

　　小学阶段的儿童对世界充满好奇心，拥有着强烈的探知欲。本套
丛书即从微观世界、人类演化、地球发展、生活常识等多个方面，在
新版语文课本要求阅读的书目之中，选取国内和国外经典科普作品的
精华来结集成册出版，既满足孩子的好奇心，顺应孩子的心理与认知
发展趋势，又贴合目前教育大方向。

（二）专业批注，陪伴阅读

　　因为积累与认知的有限，小学阶段的孩子在阅读时不容易找到思
考方向，思考内容也易浮于表面，欠缺深度。基于此，在本丛书中，我

们精心设计"名师批注"和"读书笔记"栏目，做到全程陪伴式阅读。

我们精选文中的精妙语句进行"名师批注"，点明手法，分析表达效果，由浅入深，抽丝剥茧，一步一步地引导孩子深入思考。"读书笔记"是对情节内容提出启发性的问题，让孩子在阅读的过程中，养成思考的习惯，最终将阅读能力转化为表达、写作能力。

（三）激发思考，深层感悟

跟随本丛书，孩子将更加准确、清晰地认识这个世界，但这并不是我们策划出版的最终目的，我们更希望孩子能够在其中锻炼思考的品质，也对生活有更深的感悟。

在本丛书中，不仅蕴含丰富的科学知识，也展现了科学家们不断探索世界的勇气与坚持，这是新中国科学技术从无到有，到如今走在世界前列的动力，也是我们面对未来的底气。这些平凡而又不凡的科学家，是21世纪闪耀的明星，能在孩子们的心中留下榜样的种子。

（四）精彩栏目，好学好懂

不论是这些科学知识，还是榜样的精神，阅读的最终目的还是要学以致用，由此我们精心设计了一些有助于读者阅读思考的栏目。

在每章的开篇前，我们设置了"名师导读"栏目，对本章的重点内容做阅读前的指导，然后在结尾以疑问的形式来激发孩子的阅读兴趣，主动探究科学问题；在每章结束后设置有"名师精华赏析""积累与运用""知识大宝藏"等栏目，进行课外知识拓展，联系生活实际，让孩子能运用所学知识解决问题。最后还有"真题演练"栏目，贴合了考点，满足了课内教学需求。

如此丰富的形式与内容，一点一滴都是我们对这套丛书的用心，也是对每一位读者的负责。翻开每一本书，让我们跟随作者去领略他们眼中的世界，也在其中挖掘属于我们的宝藏吧。

编者

阅读小课堂

作者简介

　　米·伊林，著名苏联作家，诞生于乌克兰，在中国深受读者欢迎。童年时期的他就对科学实验、自然观察有着浓厚的兴趣，蚂蚁、天空、星象都是他的观察对象。1924 年，他在念大学时，就已经开始了科学文艺性短文的创作，而童年的那些美好浪漫的经历，也就成了他笔下的素材。1927 年，他创作的《不夜天》一经出版就收获了很多读者的喜爱。

　　米·伊林创作的作品丰富，有《黑白》《几点钟》《十万个为什么》《人怎样变成巨人》（第一、二、三部）、《你周围的故事》《原子世界旅行记》等。他的作品有着自己的独特风格，实现了文学与科学的完美结合，这样的风格对当时我国的科普创作产生了深远的影响，在老一辈科普作家们的作品中，我们还能看到他的影子。我国著名科普作家高士其就曾经用"内容丰富，文字生动，思想活泼，段落简短"这 16 个字来评价米·伊林的作品，他的影响力可见一斑。

创作背景

　　英国作家卢·吉卜林在他的作品中写过："五千个哪里，七千个怎样，十万个为什么。"米·伊林将其中的"十万个为什么"化用过来，作为本书的书名。

　　米·伊林所写的《十万个为什么》其实是一本"边走边写的书"，他在自己的家中走了二十多步，边走边将眼前所见与脑海所想全部记录下来，写出了这样一本书，然后称其为"导游书"，赠送给那些愿意在家里做一次旅行的人。

米·伊林用屋内旅行记的形式，带领我们在厨房、衣柜之中来了一次旅行，从自来水龙头，到火炉、餐桌和炉灶、厨房锅架、碗柜，最后到衣柜，眼前所见的这些东西，总能引发作者的疑问，然后通过有趣的实验、奇特的想象、诙谐的语言，结合科学知识进行缜密的推理，最终找到问题的答案。在这个过程中，让孩子学会思考，并激发孩子动手、动脑的兴趣。

作品特色

米·伊林使用的第一人称视角，让我们更加感同身受地跟随他的脚步在房间里畅游，并且同他一起在脑海中想象这些现象发生时的有趣画面，我们都化身为这一场变化发生时的观众，整个过程神奇而又充满趣味。除了眼前的神奇景象，我们还被他拉入时空隧道，一起去到或远或近的历史之中，听他讲述有趣的故事，感受当时当地的特色文化，了解各处的人文风俗。

米·伊林的文字充满了魔力，以散文的笔调来传播严谨的科学，让我们在收获知识的同时，更收获了别样的快乐。

第一站　自来水龙头

 第二站　火　炉

第三站　餐桌和炉灶

第四站　厨房锅架

第五站　碗　柜

第六站 衣 柜

第一站

自来水龙头

名师导读

　　水在我们的日常生活中十分重要，是必不可少的生命来源，如果没有水，人类的悲剧可想而知。而这样一个重要角色，你对它的了解有多少呢？为什么我们如此需要水？水在我们的生活中具体起到什么样的作用呢？如果你还不知道，那么请翻开本章，来了解一下这位老朋友吧！

人是从什么时候开始洗澡的？

　　现如今的城市之中，自来水通向千家万户，是我们日常生活中必不可少的保障。据统计，我们的用水量每人每天可达十几桶。那生活在很久以前的人们也能像现在一样随意用水吗？让我们把目光投向十五十六世纪的法国巴黎，即使在当时如此发达的城市之中，居民也不能实现用水自由，每人每天只能用一桶水。可以想象，在如此情况下，连洗澡都困难，又怎么可能有多余的水用来洗衣服和打扫房间呢？

　　这种现象在当时十分普遍，毕竟那时候还没有通自来水，人们主要靠打水生活。在条件稍好的广场上有一口水井，人们拿着桶子到井旁打水，费力地用水

读书笔记

你有没有统计过你家每天的用水量呢？你家每天的用水量大概是多少？

名师批注

反问——在当时只能打一桶水用的情况下，人们根本不可能有多余的水用来洗衣服和清扫房间。

桶吊上来。哪怕是现在，一些落后的地方，仍然采用这种方式打水。这种公用水井无人维护，常常会在其中发现死去的猫或者老鼠，卫生状况恶劣。

在用水困难的古代，人们缺水也缺乏清洁观念，洗漱是一件非常奢侈的事情。直到近些年每天洗漱才慢慢普及开来。

大约在300年以前，即使是身为国王，也不能做到每天都能洗漱。在奢华无比的法国皇宫之中，你可以找到巨大的床，这床大到没有特殊工具"铺床棍"的帮忙都无法铺好；你也可以找到华丽的幔帐，这幔帐挂在镀金的四根柱子上垂坠而下，置身其中仿佛在一座小型的神殿；你还可以找到昂贵的地毯、威尼斯产的镜子和做工精良的时钟……但你就是无法找到一个洗脸盆。

每日清晨，仆从会递给国王一块沾湿了的毛巾，供国王擦脸擦手，这种清洁方式在当时已经足够满足他们的需求了。

让我们把目光转向莫斯科，莫斯科的人们是当时欧洲公认爱清洁的。有外国人来到莫斯科，看见这里有许多的澡堂甚至觉得十分奇怪。柯林斯医生曾写道："在莫斯科，澡堂随处可见且必须存在，这不仅可以带来许多收益，更是因为宗教信仰要求俄国人必须要洗澡。在寒冷的冬日，他们常常会洗冷水澡，甚至有人会从澡堂子里光着身子跑出来，去雪地里打几个滚儿，再回到澡堂子里去，乐趣无穷。"

让我们再看看巴黎。那里的人们一个月只换一到两次衣服，到了晚上便把自己脱得光溜溜的，裸着身子入睡。在那个时代，人们只关心衣服袖口的花边是否名贵，胸襟上的绣花是否漂亮，却不关心衣服到底干不干净。

直到 200 年前，人们才有了勤换衣服的习惯。

人们开始使用手帕也不过是近两三百年的事情。那时只是很少一部分人使用手帕，甚至连王室贵族对于使用手帕都不太热情，因为他们认为这并非必需品。

贵族们喜欢在床上挂上华丽的幔帐，这不仅仅是为了美观，而是为了挡住从天花板上掉下来的虫子，毕竟当时环境恶劣，王宫之中也有不少臭虫。到如今，许多古代宫殿之中还保留着用来遮挡臭虫的幔帐。

但其实这些幔帐并不能遮挡臭虫，反而在幔帐的褶皱里，臭虫的日子过得更加舒坦了。

在以前的城市中还存在另一个问题——没有下水道。那时，人们在街道中心挖一条深沟当下水道，脏水顺地势流入其中。在法国巴黎，人们把生活污水从窗户泼到街道上，脏水顺势流入街道中心的深沟之中，然而时间久了，深沟无人清理维护，散发着刺鼻的臭味儿。人们经过此地之时，都会紧贴着墙根，捂住口鼻，飞奔而过。

即使是在以"爱干净"闻名的莫斯科也是如此。1867 年，莫斯科的工人在铺设煤气管道时，在地底下发现了十五十六世纪铺设的木质街面遗迹。人们可以清晰地看到，在古老的街面上，有大约一俄尺（0.711米）厚的污垢，与此类似，在距离现在时间较近的木质街面上，也有一层厚厚的污泥。

> **名师批注**
>
> 叙述——人们自作聪明，结果却适得其反。在解决问题时，我们应该先准确分析原因，再寻求解决办法，以达到事半功倍的效果。

> **名师批注**
>
> 列数字——生长于现代社会的我们，很难想象路面上竟然有一俄尺厚的污垢，这在当时却是十分常见的，可见卫生条件之差。

当时的人们比现在更容易生病的原因，也就不难知道了。那时环境卫生条件差，藏污纳垢的地方多，人们又不知道越是脏的地方越容易滋生细菌、流行疫病。曾经有城市爆发过可怕的疫病（鼠疫或天花），当时瘟疫传播速度快，医疗条件差，发生疫病几乎无药可医，整座城市往往因为疫情无法控制而变成空城。当时一半的孩子只能活到10岁，许多地方的贫民因为天花和麻风病而毁容，凄凉不已。

那到底是什么让我们变得比以前的人们更加健康和强壮呢？随着如今人们的生活条件越来越好，自来水、肥皂和干净的衣服都成了让我们健康、强壮的帮手。

为什么选用水来洗涤？

水在我们生活中至关重要，比如我们洗手、洗脏衣服、洗碗都需要用到它！那为什么水能冲洗掉污垢？难道是如同河水冲走杂物一般，用巨大的冲击力把污垢带走吗？当然不是。你想，如果我们把一双脏兮兮的手放在水龙头底下冲洗，双手是否会自己变得干净呢？

那肯定是不会的，也没有人会用这样的方式洗手。我们洗手，都是用双手互相用力揉搓，这样才能把污垢搓洗掉，然后再用水去冲洗。

同样的，洗衣服也是这样的道理。我们不会直接把衣服放进水里就放着不管了，这样的话，脏衣服永远不会变得白净。我们需要用手反复搓洗衣服上脏了的地方，在洗袜子或者鞋子时有时还会使用到刷子。

这些工作都是为了把污垢从衣服上去掉，这个过程就好比我们写字时，要使用橡皮擦去纸上的错字一样。污垢被清除之后，再用水去冲走它们就变得轻而易举了。

人们是如何使用肥皂泡的？

大家洗衣服的时候，不可能只靠着水来冲洗，有一件东西也是至关重要的，有了它我们才能轻而易举地把污垢洗掉，那是什么呢？没错，它就是肥皂。

对于洗衣服和洗澡而言，肥皂都十分重要，缺了它我们就缺少了清洗的灵魂。这是因为肥皂是污垢的天敌，能帮助我们扫清脏东西。比如说烟炱，它是一种体积微小、表面凹凸不平的炭粒。这种炭粒非常难以清洗，尤其当它渗入到我们皮肤或者衣服的凹纹之中，很难用水把它冲洗掉。

但是，当我们拿出肥皂，轻轻地擦在有烟炱渗入的皮肤或者衣服上，肥皂就会像战士一般朝烟炱扑过去，抓住烟炱，把它从皮肤的凹纹处赶走，这样皮肤就被洗得干干净净。那肥皂又是如何把烟炱赶出去的呢？

在思考这个问题之前，我们先来想一下什么样的肥皂更好用，是泡沫多的还是泡沫少的？我相信多数人会说泡沫多的。事实也是如此。由此可见，衣服能否恢复到干净明亮，泡沫才是关键。

大家洗澡时可以仔细地观察一下泡沫。这些一堆堆的泡沫实际上是由成群结队的小肥皂泡组成，而这些小肥皂泡则是外面包着一层水膜的小空气球。这些

名师批注
类比——我们不是直接用水冲走污垢，而是要先利用摩擦力将污垢搓洗下来，再用水冲掉，而这个过程与橡皮擦去错字的原理是一样的，这样类比让人能够更快地理解这一过程。

名师批注
举例子——在我们的生活中，肥皂的确是我们清洗东西时的好帮手，肥皂使清洗过程轻松很多。

名师批注
比喻——清洗东西时，肥皂就如同战士一般将污垢全部清除，它在清洗的过程中起了很大的作用。

泡沫附着在皮肤上，与烟灸的微小颗粒"战斗"，把小颗粒粘在自己的泡泡上，再用水一冲，一下子就被冲走了。

小泡沫本领大，它在工厂里也发挥着巨大的作用，人们可以用它把矿物和废石分离。那又是如何实现的呢？其实，无论是矿物还是废石在水中都会下沉，但是把它们研磨成粉末以后，放在大量的泡沫之中，它们就能浮起来了。而废石的颗粒因无法长时间附着在泡泡上会逐渐沉到水底。这样一来，水面上漂浮的就只有矿物颗粒，水底下沉着的则是废石。只要用工具把矿物颗粒捞出来，就能实现矿物和废石的分离啦。

这么看来，肥皂泡的用途可真广泛。不仅可以用来玩乐、清洗污垢，还能被人们用于工作呢。

读书笔记 ·············
你还知道肥皂泡的哪些用途？请分享一下。

人为什么要喝水？

读书笔记 ·············
你认为人为什么要喝水呢？

这似乎是一个过于简单的问题，但你转念一想又不知道该从何说起。

也许你会说："我们需要水，所以喝水。"

可能也会说："没有水人类就无法生存。"

可是到底为什么需要水，为什么人没有水就无法生存呢？让我们来寻找答案吧。

水是生命之源，水分是人体之中必不可少的组成部分，只要你活着，拥有呼吸，就在一刻不停地消耗水分。

寒冷的冬日，我们冲着玻璃哈一口气，被气息喷到的地方，便会立刻布满水汽，变得模模糊糊。这些水汽是从何而来？自然是从你的身体里来。

炎热的夏日，身体会不停地出汗，这些汗液又是从何而来？自然也是从你的身体里来。

人一直在丢失水分，所以随时补充水分那也是必要的。有人做过统计，一天 24 小时，一个正常的人体会丢失 12 杯水，按这样计量，我们一天要补充 12 杯水才能维持体内的水分平衡。

那除了喝水，还有其他的补水方式吗？

其实，在日常生活之中，我们吃的东西都含有大量的水分。比如说蔬菜、水果内部的水分含量比固体物质多得多。从每餐吃的这些食物中，我们也补充了很多水分了。

说完食物，我们再来说说人类身体里的水分。其实人都是"水"做的，成年人的身体中，即使水分含量较少，都要占到体重的 3/4。这就好比一个成年人，体重是 50 千克，其中大概有 40 千克是水分，固体物质在 10 千克左右。

这时候你或许会问："既然我们身体里有那么多的水，那水为什么不从人体里流出来呢？"

这个问题的答案在于人类的身体的构成。

如果把肉的切片或者黄瓜的切片放到显微镜底下仔细观察，你就能看到许多大小不一、饱含汁液的细胞。这些细胞如同一个个小容器，四周封闭，将水分都锁在里面，这样一来汁液便不会从里面流出来了。

由此可见，水是人体的主要组成部分。所以我们一定要多喝水！

名师批注

举例子——无论是寒冷的冬天，还是炎热的夏日，人体中的水分消耗一刻都没有停止，所以我们才需要及时补充水分呀！

读书笔记

你每天喝多少杯水？是否和你所消耗的水分相当呢？

名师批注

列数字——水是组成人体的重要部分，所以我们一定要重视补充水分这件事情，才能保证身体的健康！

名师批注

比喻——将细胞比作一个个容器，生动形象地向我们描绘了细胞的形状以及作用，能让我们更好地理解细胞。

水能把房屋炸毁吗？

你相信吗？若是将水处理不当，它可能会比火药还危险好多倍呢！

曾经发生过这样一次事故，水将一座五层的建筑炸毁了，导致现场二十三人不幸遇难。这到底是怎样发生的呢？

原来，大楼的一楼有一家工厂，工厂里有一个大型的锅炉，悲剧发生的这一天，锅炉工忘记往锅炉里加水了，火还在不断地燃烧，水却越来越少，直到快烧干，锅炉壁被烧得通红也无人发觉，当锅炉工意识到危险才慌忙喊人往里面添水，于是大量的水一遇到烧得通红的锅炉，瞬间产生了大量蒸汽，蒸汽积聚在锅炉之内不断涌动喷发，直到锅炉承受不了，砰的一声爆炸了，爆炸的威力炸毁了一座大楼。

除此之外，在德国还发生过比这更严重的事故——22个蒸汽锅炉同时爆炸。那毁天灭地的威力，导致周围的房屋无一幸免，全部被炸毁，甚至在距离爆炸点500米以外的地方还发现了蒸汽锅炉的碎片。

这些事情看似离我们很遥远，其实离我们很近。在我们生活的这个世界上，每天都会发生几千起水蒸气爆炸事件，而这些事件却常常被人们忽略。在寒冷的冬日，你往炉子里添加木柴时，往往能听到木柴被烧得噼啪作响的声音，那便是木柴中含有的一些水分在遇到高温并变成水蒸气后，冲破木头纤维时发出的声音。

读书笔记
为什么最终会导致爆炸？请查阅资料了解其中的原理。

名师批注
列数字——水看似温柔无害，但是使用不当也会对人类造成很大的危害，所以无论在什么情况下，我们都要牢记安全第一。

读书笔记
生活中还有哪些水蒸气爆炸事件呢？我们可以怎样防范？

冰能爆炸吗？

水的固体形态被称之为冰，而冰有时也会发生爆炸。水蒸气可以炸毁房屋，冰的威力更甚，它可以让最坚固的岩石裂开，最终将一座山炸毁掉。

秋天，经过雨水的洗礼，岩石的缝隙之中会渗进去许多水。到了冬天，渗进到岩石中的水分要是没有消失，便会结成冰。而水一旦改变形态，体积也会发生变化。冰的体积比水大，岩石缝隙中的冰不断膨胀，朝四面八方挤压，最终将坚硬的岩石挤裂。

读书笔记 •················
请画出岩石被冰挤裂的过程示意图，并且给身边的人讲一讲。

在冬天自来水管的爆裂也是如此。如果水管里还有残存的水，就会在严寒的冬日结冰膨胀，最终导致水管爆裂。为了防止水管爆裂，在冬天来临之前人们往往会用毡子等保温材料把管子包好，给它们穿上一层防冻衣，这样就能防止水管爆裂了。

读书笔记 •················
一般在哪些地方容易发生自来水管爆裂的事故呢？为什么？

为什么穿上冰鞋后不能在地板上滑行？

当我们穿上冰鞋以后，能在光滑的冰面上滑行自如，但是在地板上不能滑行，这是为什么呢？有人或许会回答说："那是因为地板不如冰面硬，不如冰面滑。"可是有一种大理石地板，也是又硬又滑，为何还是不能穿冰鞋滑行呢？

原来在冰刀滑行之时，冰面在冰刀的压力之下，会逐渐融化，进而形成一层薄薄的水。这层水才是冰刀能在冰面上滑行的关键所在。它如同机器零件之间的润滑剂一般，减少了冰刀和冰面之间的摩擦力，从而实现了我们能在冰面上的完美滑行。

名师批注
比喻——将冰刀滑行时融化的水比作润滑剂，形象生动地说明了水在其中的作用，而在地板上不会有水来润滑，所以并不能穿冰鞋在地板上滑行。

同样，大块的冰川能从雪山滑落也是如此。在冰川的重压之下，它的下层与雪山接壤的冰层逐渐融化，使冰川的阻力变小，它便顺着山体滑落下来了。

世界上有不透明的水和透明的铁？

在日常生活中，我们所见到的水都是无色透明的。但实际上真的如此吗？我们知道，大海的深处总是一片漆黑，那是因为阳光无法穿透几千米深的海水，这也说明你能看见的透明的水，其实是因为它不够厚。

其实，除了水，任何物体太薄的话都是透明的。比如一块玻璃，当你正面观察它时，它是薄的、无色透明的，这时你换个角度，从它较厚的边缘部位去看，这块玻璃就不再无色透明了。

曾有一位科学家做过这样一个实验。他将铁片制作成厚度只有原来的1/100000毫米的薄片，这时的铁片也和玻璃一样变成透明的了，将铁片放在书本上，你会发现居然能穿透它看到下面的小号字。

所以，所有的金属都能做出这样透明的薄片。

名师批注

疑问——我们认为透明的水却有可能并不透明，激起了读者的阅读兴趣，也为下文的论述进行铺垫。

读书笔记

请找到一块玻璃进行观察，看看结果是否与文章中的结论一致？

名师批注

列数字——将铁片做成极薄的薄片，它也变成了透明的，可见作者的结论是十分正确的，增强了结论的可信度。

名师精华赏析

我们生活的方方面面都需要水的参与，才能维持生活的正常秩序。有时，水也会用它的巨大力量给我们带来灾难，这些灾难令人痛心，可我们无法将罪过推脱给水，它本没有好坏，是人的使用不当而导致了这些灾难发生。我们在痛心的同时，也应该反思自己，在其中吸取教训，让人类前进的路走起来更加平稳。

积累与运用

好词

恶劣　褶皱　遇难　自如　接壤　消耗　洗礼　藏污纳垢

轻而易举　千家万户　凹凸不平　毁天灭地　四面八方

佳句

在奢华无比的法国皇宫之中，你可以找到巨大的床，这床大到没有特殊工具"铺床棍"的帮忙都无法铺好；你也可以找到华丽的幔帐，这幔帐挂在镀金的四根柱子上垂坠而下，置身其中仿佛在一座小型的神殿；你还可以找到昂贵的地毯、威尼斯产的镜子和做工精良的时钟……

人们经过此地之时，都会紧贴着墙根，捂住口鼻，飞奔而过。

但是，当我们拿出肥皂，轻轻地擦在有烟炱渗入的皮肤或者衣服上，肥皂就会像战士一般朝烟炱扑过去，抓住烟炱，把它从皮肤的凹纹处赶走，这样皮肤就被洗得干干净净。

这些细胞如同一个个小容器，四周封闭，将水分都锁在里面，这样一来汁液便不会从里面流出来了。

它如同机器零件之间的润滑剂一般，减少了冰刀和冰面之间的摩擦力，从而实现了我们能在冰面上的完美滑行。

美文仿写

灾难发生时，我们无能为力；灾难过后，我们应该反思，避免同样的悲剧再次发生。本章中，我们跟随作者的想象，回到了水将房屋炸毁的现场，从作者的叙述中目睹了灾难发生的过程，也因此知道了正确利用水是多么重要。在我们的现实生活中，我们也看过不少灾难现场的报道，请你仿照下列文段，想象一下灾难发生时的场景，警醒安全意识薄弱的人们。

原来，大楼的一楼有一家工厂，工厂里有一个大型的锅炉，悲剧发生的这一天，锅炉工忘记往锅炉里加水了，火还在不断地燃烧，水却越来越少，直到快烧干，锅炉壁被烧得通红也无人发觉，当锅炉工意识到危险才慌忙喊人往里面添水，于是大量的水一遇到烧得通红的锅炉，瞬间产生了大量蒸汽，蒸汽积聚在锅炉之内不断涌动喷发，直到锅炉承受不了，砰的一声爆炸了，爆炸的威力炸毁了一座大楼。

_____

_____

_____

_____

_____

_____

知识大宝藏

每天打开水龙头，就会有源源不断的水流出来，我们用它刷牙、洗脸，洗衣服、拖地也离不开水，妈妈炖汤更是少不了水的参与，水好像总是用不完，打开水龙头便能有，但是永远都有水会供我们使用吗？

科学技术的发展，让我们对水的利用越来越便利，也造成了更多的浪费，使得原本就不多的水资源更加紧缺。关于水资源，有几个触目惊心的数字需要我们牢记，请你将它们进行连线，并且查阅资料了解水资源的利用现状，说一说你的感悟。

地球表面＿＿＿＿＿＿的面积被水覆盖   60

淡水资源仅占所有水资源的＿＿＿＿＿＿   四分之一

地球上只有不到＿＿＿＿＿＿的淡水可被人类直接利用   110

中国人均淡水资源只占世界人均淡水资源的＿＿＿＿＿＿   400

近＿＿＿＿＿＿的淡水固定在南极和格陵兰的冰层中   70%

中国已有＿＿＿＿＿＿多个城市存在供水不足问题   0.5%

中国比较严重的缺水城市达＿＿＿＿＿＿个   1%

中国全国城市缺水总量为＿＿＿＿＿＿亿立方米   72%

第一站 真题演练

一、填空题

1.疫病暴发时，一半的孩子只能活到_____岁。

2.我们洗手都是_____，这样才能把污垢搓洗掉，然后再用水去冲洗。

3._____的肥皂更好用。

4.成年人的身体中，即使水分含量较少，都要占到体重的_____。

5.除了水，任何物体_____的话都是透明的。

6.在冰刀滑行时，冰面在冰刀的压力之下会逐渐融化，形成一层薄薄的_____，减少了冰刀和冰面之间的摩擦力，从而能在冰面上滑行。

7.人体中的_____将水分都锁在里面，这样一来水分便不会从身体中流出来了。

8.在日常生活之中，我们吃的东西都含有大量的水分，比如说_____、_____内部的水分含量比固体物质多得多。

9.烟炱是一种体积微小、_____的炭粒。

二、简答题

1.肥皂泡有哪些用途？

2.目前，我国水资源稀缺，需要我们每个人共同努力节约水资源来缓解危机。你知道哪些节约水资源的好方法呢？请分享两个。

参考答案

一、填空题

1. 10

2. 用双手互相用力揉搓

3. 泡沫多

4. 3/4

5. 太薄

6. 水

7. 细胞

8. 蔬菜、水果

9. 表面凹凸不平

二、简答题

1. 不仅仅可以用来玩乐、清洗污垢，还能被人们用于工作。

2. 保留洗菜的水用来浇花；洗手后及时关掉水龙头等。（言之有理即可）

第二站

火 炉

名师导读

当远古时期的人类学会保存火种的那一刻起，人类的文明发展便不可逆转地进入了新的阶段，再逐渐发展，直到拥有了现在的生活。而在一百年前，人们又是怎样使用火的呢？我们利用火的历史经历了哪些曲折？火是否是我们的好朋友？一切疑问，在本章中作者都将给我们解答，赶紧翻开来找一找答案吧！

名师批注

环境描写——火炉曾是我们在冬天经常用到的东西，拯救了无数寒夜，而它又有什么知识在等着我们去探索呢？作者在这句话中引出了介绍对象，也为下文做了铺垫。

读书笔记

在中国的传统文化中，掌管火的神灵是谁？

人类是从什么时候开始会取火的？

寒冷的冬夜，柴火噼里啪啦地燃烧着，火苗在炉子里面欢快地跳跃。我们看着那些跳跃的火苗，思绪万千，联想到了许多奇异的事情。比如说火是怎么被人们发现的，人们是怎么学会取火的呢？

在遥远的古代，人们由于缺乏科学知识，认为在火焰之中住着掌管火的神灵，名叫火壁虎。也有人认为神灵就是火本身。因此，大家建造庙宇来供奉它。供奉火神的明灯常年点亮，历经几百年也不曾熄灭。

点长明灯有着悠久的历史，是世界上最古老的风俗之一。几万年前，当时的人们还不会生火，只能去自然界寻觅火种。寻觅到的火种异常珍贵，因为一旦火焰熄灭，就没办法再次点燃。

不过大自然一直在为人类造福泽，有一次，天空中电闪雷鸣，一道惊雷击中了树木，被击中的树木瞬时燃烧起来。人们惊恐地看着被大火瞬间吞噬的树木，既害怕又恐慌，不敢靠近却又不愿离开。毕竟，在这寒冷的冬夜，能站在一棵燃烧着的树边，感受火焰带来的温暖，是那么奢侈和愉快。

终于，敢于和野兽搏斗的原始人，向前迈出了一大步。他们之中有一个胆大的人站了出来，走近了即将熄灭的微弱火焰，抓起了那根正在燃烧的树枝，小心翼翼地把这个神奇的"物种"带回了洞穴，这就是最原始的火种。

19 世纪末期，爱迪生发明了实用的电灯，造福了人类。但那些披着兽皮，穿梭在原始森林中的远古人类驯服了火。没有他们的劳苦功高，就没有我们现在的文明，我们和猿人也没有太大区别。

名师批注

议论——远古人类踏出的这一小步，让人类的文明前进了一大步。

终于，明亮的火光照亮了原始人的岩洞和土窑，又不知经过了多少漫长的岁月，人类终于学会了钻木取火。掌握了取火技术的人类，再也不用为火种突然熄灭而苦恼。人们在庙里点燃了长明灯，用以纪念那个伟大的时代。

读书笔记

我们如今有什么活动来纪念这一伟大的进步呢？

无论取火这件事情看起来有多么神奇和古怪，这种最古老的取火方式仍然流传至今。原始人的取火方式就是用一根木棍去用力摩擦另一根木棍。后来，我们用火柴代替了木棍，我们只需要用火柴棍用力摩擦火柴盒，刺的一声，火焰便燃烧了起来。

读书笔记

在现代社会中，我们有哪些方式可以取火？

这两种方式看似类似，实则不同。火柴只需要几秒钟便能点燃，但木棍想要摩擦生火，需要用很长时间。并且，还需要你有足够的耐心噢。

火柴为什么可以点着火？

你知道原始人是怎样发明钻木取火的吗？我们不妨设想一下。

在原始时期，人类的生产工具十分有限，没有锯子和刨子这类的工具，他们只能使用锋利的石头或骨头这类工具。而用这些石头、骨头干活非常费力，当他们用这些工具在木头上长时间地敲打、摩擦的时候，会导致木头发热，甚至迸出火花，或许正因为如此，他们才意识到摩擦可以生火。

所以想让木头燃烧，就必须要聚集大量的热量。为了发热，两根木棍必须长时间地摩擦。

如果你用火柴点火就完全不一样了。制作火柴头的东西是一种燃点低的易燃物质。当它碰到温度较高的物体时会立刻燃烧。就好比火柴头触碰到高温的铁片、滚烫的炉子都会立即被点燃，但是你若用火柴的另一头去触碰它们，就不会被点燃。这就是火柴能够轻易烧燃的原因。

火柴是什么时候发明出来的？

火柴诞生的时间并不长。1833年，第一家火柴工厂才建成。而火柴未曾出现之前，我们用什么方式取火呢？

100多年前，许多欧洲人的口袋里会装一个小盒子，小盒子里面有一块小钢块、一块小石头和一块海

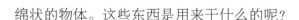

绵状的物体。这些东西是用来干什么的呢？

原来，这三样就是点火的工具——钢块、石头和海绵，也就是火镰、火石和火绒。它们凑在一起就是原始的"火柴"。

我们来让时光倒流，回到过去，瞧瞧那时的人是怎么取火的吧。

一日，有一个衣着光鲜的胖子站在墙角里，嘴里叼着烟斗。他右手拿着火镰，左手拿着火石和火绒。在那个背风的角落，他拿火镰用力敲击火石，反复试了好几次，才迸出零星几点火花。他又加大力度敲击了好几次，迸出的火花终于点燃了火绒，他也美滋滋地点燃了烟丝。

这个盒子就相当于一个简易打火机。我们现在用的一些打火机还有当年这种取火工具的影子。让我们仔细观察现在的打火机，它的里面有一块小石头，其实就是火石，点火滚动的轮子就是火镰，浸透汽油的灯芯则是火绒。

千万别认为用火镰取火很简单，实际上操作起来很不容易。欧洲旅行家曾经想教会格陵兰岛上的因纽特人这种"先进"的取火方式，因纽特人却没有兴趣。在他们看来，这种方式并没有先进多少，他们更愿意采用原始人的方式摩擦生火，当然这种方式经过了改进，他们用一根皮带极速拉动一根竖在干木板上的小木棍。

欧洲人可能也希望有更先进的方式来取火，他们开始寻找更为便捷的物质来代替上面的三种取火装置，因此，当时的市面上经常能看到种类繁多、稀奇

名师批注

过渡——时光穿梭，我们回到过去看那时的人如何取火。语言风趣幽默，吸引人的眼球。

名师批注

动作描写——胖子在寒风中艰难地点着了烟丝，可见当时的取火工具效率不高。

读书笔记
为什么因纽特人拒绝这种取火方式？

古怪的"化学取火器"出售。

比如，有一种火柴，碰到硫酸就会燃烧；另一种玻璃材质的火柴，需要一把巨大的钳子把玻璃头夹碎后才燃烧；还有一种更为复杂的取火器，全套设备都是玻璃制成。实际上，这些稀奇古怪的取火器，还不如"火柴"使用起来方便，而且造价高昂。

不过，随着黄磷的出现，取火方式发生了新的改变。

黄磷是一种易燃物质，它的燃点低，只有60℃。这样看来，黄磷似乎是制作火柴再合适不过的原材料了。但即便是黄磷火柴，与我们现在的火柴相比，仍然有很大差距。

这不仅仅是因为黄磷火柴有毒，更重要的是它的燃点太低，易燃易爆。设想一下，黄磷火柴头仿佛一枚小型炸弹，在点燃的瞬间，碎片被炸得四处飞溅。黄磷火柴燃烧后，还对环境有一定污染。因为它不但含有黄磷，还含有硫黄，硫黄燃烧之时会产生二氧化碳，散发出刺鼻的气味。

读书笔记 •⋯⋯⋯⋯

请查阅资料，了解聪明的人类用哪种安全的易燃物取代了黄磷？

1855年，人们用"瑞典火柴"取代了"黄磷火柴"。"瑞典火柴"又名"安全火柴"，这种火柴之中没有黄磷，聪明的人类用另一种安全的易燃物取代了它。

为什么水无法燃烧？

读书笔记 •⋯⋯⋯⋯

请了解你身边不同事物的燃点，并说一说你的发现。

不同的物质有着不同的燃点，有的物质遇强热会燃烧，有的物质遇热就着火。但是，也有些物质完全不会燃烧。比如水，就不会燃烧。

这又是什么原因呢?

其实,水和灰烬都不会燃烧是同一个道理。

因为它们本身是燃烧后的产物。也就是说,需要燃烧后才能形成水。那又是什么东西燃烧后才得到水呢?

答案是氢气。氢气是一种非常轻的气体,氢气的燃点很低,遇到火星就会起火,遇到氧后燃烧就形成了水。所以,现在填充飞艇已经不再选择氢气了,而是采用氦气。氦气是一种惰性气体,不会燃烧,这样飞艇飞行时会更加安全。

读书笔记 •·············
除了氦气,还有哪些惰性气体?

在炉子里燃烧过后,木柴到什么地方去了?

在天然气和煤没有被广泛运用时,人们烧火主要用到的燃料是木柴,当你从杂物间抱过来一捆粗壮的木柴,把它们重重地丢在炉子旁边的地面上,然后将这些木柴放进燃烧着的炉子里,不久后你会发现木柴全都消失了,取而代之的是炉膛中剩下的一片灰烬。

那这捆木柴去哪儿了呢?

当然是烧完了。

就如同蜡烛燃烧后也会消失,那它们到底是怎么消失的,消失后又去了哪里?

让我们来做这样一个实验:将一个汤匙放在正在燃烧的蜡烛的火焰上。渐渐地,你会看到汤匙上蒙上一层薄薄的雾,再过一会儿,这层雾便凝结成了小水珠。

水珠从何而来?显而易见,这些小水珠是蜡烛燃

名师批注

叙述——开头提到,木柴在燃烧后通常只剩下一些灰烬,直接交代了要说明的话题,也吸引了读者的阅读兴趣。

读书笔记 •·············
你认为木柴燃烧后去了哪里?

烧所带来的。

你将汤匙再次擦干净,重新再放到火焰上,又会惊奇地发现,汤匙上蒙上了一层淡淡的烟炱——这是一种微小的炭粒。

炭粒又从何而来?也是由蜡烛燃烧带来的。

可为什么透过蜡烛本身看不到炭粒呢?

因为炭粒是蜡烛的组成物质,就如同我们置身于一间房子之中,却看不到房梁上的钉子一样。只有在房屋着火坍塌之后,我们才能看到钉子。

蜡烛在燃烧之后就会形成水和炭颗粒。如果不经过刚刚的实验,我们就不能发现它们。因为水会变成水蒸气在空气中四处散开,那么,炭去哪里了呢?

蜡烛燃烧散发出一缕缕青烟,这些青烟就是微小的炭粒。炭粒随着空气流动四处飘散,散落在房子里一切可以附着的物品上面。

不过,也有一种可能,蜡烛在实现了充分燃烧后,便不会冒烟了,因为炭已经全部被燃烧殆尽了。

那什么是"燃烧"呢?

这个问题得从炭燃烧之后去了哪里说起。

炭燃烧之后要么完全消失了,要么转化成其他物质了。只不过这些并非我们肉眼可见罢了。

那让我们再一起做一个实验,看看它是怎么样变成其他物质的吧!首先在厨房找出两个空的果酱瓶子、一小截蜡烛和一根铁丝。为了更加便捷地把这一小截蜡烛放进果酱瓶里,我们需要在蜡烛底部插入一根弯曲的铁丝,类似于鱼钩。然后,我们再拿一个杯子,倒入一些石灰水备用。

名师批注

类比——将蜡烛与炭粒的关系,和房子与钉子的关系进行类比,让读者能够更加具体形象地了解到蜡烛的组成,通俗易懂。

名师批注

疑问——一步一个问题,让读者紧跟作者的脚步进行思考,既生动有趣,又能够理解原理,是作者在进行说明时的一大妙笔。

名师批注

说明——作者对实验过程的说明十分详细,能够帮助我们更好地理解蜡烛燃烧的过程,找到这些物质去了哪里。

然后我们把小蜡烛点燃，慢慢地将它放进空瓶之中，这时你就会发现，没多久蜡烛就熄灭了。将熄灭后的蜡烛再次点燃后放进空瓶子中，你会发现，这一次蜡烛燃烧的时间非常短，迅速就熄灭了。

两次燃烧如此不同，瓶子里面一定有一个隐形的东西在阻碍蜡烛燃烧。那是什么呢？明明瓶子里面是空的。

别急，先让我们将之前准备好的石灰水倒入燃烧过蜡烛的空瓶里面，你会发现原本透明的石灰水开始变得浑浊。但是我们将石灰水倒入另一个没有燃烧过蜡烛的空瓶里时，并没有发现任何变化。可见，在蜡烛燃烧过后的瓶子里产生了一种看不见的气体，这种气体使得石灰水变浑浊。

名师批注
对比——严谨的实验过程，让我们发现其中隐藏的气体，得出的结论具有很高的可信度。

科学家在经过一系列的研究后发现，这种气体叫作二氧化碳，研究表明，炭燃烧后会产生二氧化碳。

现在，我们知道了蜡烛燃烧后到哪里去了的秘密：蜡烛燃烧变成了水和炭，水分蒸发到空气之中，炭则燃烧成了二氧化碳。

读书笔记·············
结合前文的实验过程，请用自己的话说一说木柴燃烧的过程及其产物。

木柴燃烧也正是如此。它们燃烧变成了水和炭。那些燃烧完全的炭又变成了二氧化碳，和水蒸气一起从烟囱飞跃而出。冬日里，烟囱上翻滚着的浓浓白烟，就是水蒸气遇冷凝结形成的小水珠。而那些燃烧不完全的炭，一部分化作炭粒留在了炉子里，另一部分则化作黑色的烟炱，附着在空气中，形成滚滚黑烟。

读书笔记·············
请画出木柴燃烧后，各类产物的去向示意图，并且给身边的人讲一讲。

炉火旺盛的时候，为什么炉子里会发出呼呼的声音？

冬天，当人们将炉子里填满柴，火炉烧得很旺盛的时候，炉膛里会发出呼呼的声音，这些响声是怎么回事呢？

要是你想让喇叭发出声音，就必须吹奏它，那炉子发出声音，也是因为有人在吹它吗？

让我们来探寻事情的真相吧。我们把火炉烧得旺盛，炉膛里面的空气会逐渐升温，变得灼热起来。这时，比冷空气轻的热空气，便会逐步往上升，冷空气一看到热空气上升有空缺，便会不断朝这边过来填充空缺的位置。由此便产生了一股由下而上的气流，经过炉底、炉膛再向上而去。

想要证明这个道理，我们可以一起来做一个小实验。先准备好几张小纸片，将其放在硬纸板的边缘。然后，将硬纸板靠向炉门的小孔处，你会发现，小纸片仿佛被魔法吸住了一般，一张张地向炉膛里面飞去。

那这到底是为什么呢？

其实是气流将小纸片带走了。由此可见，空气会自然而然地流动，并不需要任何人去吹动。那么热空气真的会上升吗？

这个答案是肯定的。在一个阳光灿烂的天气里，在窗台上放一根正在燃烧的蜡烛，你静静地坐在旁边，便可以看到火焰的影子在阳光的照射下不停地跳动，甚至火焰的影子上面还有着空气向上流动的影子。为什么会出现这样的现象呢？

这是因为热空气在往上升，同时带着火焰也在向上伸展。现在我们总算明白了一件事，在火炉的门上钻孔是为了让空气流通。可是为什么炉子里需要空气呢？那是因为木柴要想在火炉中燃烧，空气是必不可少的。而且，空气流通越充足，木柴燃烧越充分。

科学家们对空气的成分也十分地好奇，在实验室里研究了很久，发现空气是由几种气体混合而成，其中大部分是氮气和氧气，而氧气则是物体燃烧所必需的。当木柴在火炉之中燃烧的时候，木柴中的炭与空气中的氧气发生化学反应生成二氧化碳，空气中的氢气和氧气发生化学反应生成了水。

由此可见，空气经由炉子到烟囱发生了巨大的变化。行进过程之中，空气中的氧气逐渐减少，水和二氧化碳逐渐增加，变成了滚滚浓烟向外喷出。

> **名师批注**
>
> 说明——木柴在燃烧的过程中，产生了二氧化碳和水，它们经由烟囱向外喷出。

水为什么可以灭火？

将点燃的蜡烛放入水中，它会立刻熄灭。这是什么原因呢？

因为蜡烛燃烧需要空气，而不需要水。

水之所以能灭火，也是因为它能够将正在燃烧的物体和空气隔绝。

生活中还有许多其他的灭火方法，也是运用了同一原理。比如说，给燃烧着的物体盖上厚厚的毯子或者撒上一把沙子，这样能将空气和火源隔绝，火焰就会熄灭。

> **读书笔记**
>
> 除了隔绝空气，我们在生活中还有哪些灭火的方法呢？它们的原理又是什么？

关于炉子的一个谜

你知道吗？我们的身体就像是一个特殊的炉子，

> **名师批注**
>
> 类比——人类的身体和炉子竟然有相似之处，想象奇特，充满趣味，吸引读者眼球。

读书笔记············

请自己动手进行实验，你是否发现了水和二氧化碳的踪迹呢？

名师批注

想象——除了鼻子，我们的食物也如同燃料，为我们提供能量，与炉子的确具有相似之处，说我们的身体是一个特殊的炉子也合情合理了！

而鼻子的角色可是非常重要的！当你用它呼吸的时候，它吸入空气却呼出二氧化碳和水，这是不是很神奇呢？

你拿一个汤匙，对着它哈一口气，汤匙上便会出现一层薄薄的水雾，这便是你身体中呼出的水分；然后，你拿一根吸管朝透明的石灰水里面用力吹气，水立刻变得浑浊了，这就是你身体中呼出的二氧化碳。

而我们的鼻子就仿佛是充当了炉子门和烟囱的角色，它是进气和出气的主要通道。而在我们人体这个炉子里，燃料就是我们摄入的食物，食物在经过"燃烧"后变成了热量，维持着我们的机能。

名师精华赏析

一百年前，人们还在使用火柴，而现在，我们取暖、做饭可以不用明火，这就是科技带给我们的便利，让我们能够轻而易举地与火友好相处。这一盏文明的圣火，如今已经传递到了我们的手中，与火的相爱相杀，将是我们之后的历史中必不可少的故事。

积累与运用

 好词

供奉　灰烬　寻觅　吞噬　驯服　便捷　充当

小心翼翼 稀奇古怪 自然而然 思绪万千

💡 佳句

寒冷的冬夜，柴火噼里啪啦地燃烧着，火苗在炉子里面欢快地跳跃。

木柴燃烧也正是如此。它们燃烧变成了水和炭。那些燃烧完全的炭又变成了二氧化碳，和水蒸气一起从烟囱飞跃而出。

而在我们人体这个炉子里，燃料就是我们摄入的食物，食物在经过"燃烧"后变成了热量，维持着我们的机能。

💡 美文仿写

生活中有着各种各样的发明，它们的用法和功能让我们眼花缭乱。在作者笔下，通过对人物的细致描写，生动有趣地向我们展示了当时人们利用火镰、火石和火绒生火的过程，真是一份别具一格的"使用说明书"。请你仿照下列文段，选择生活中的一个物品，在人物描写的过程中介绍它的使用方法。

一日，有一个衣着光鲜的胖子站在墙角里，嘴里叼着烟斗。他右手拿着火镰，左手拿着火石和火绒。在那个背风的角落，他拿火镰用力敲击火石，反复试了好几次，才迸出零星几点火花。他又加大力度敲击了好几次，迸出的火花终于点燃了火绒，他也美滋滋地点燃了烟丝。

_____

_____

_____

_____

_____

_____

知识大宝藏

　　火是促进人类文明进步的大功臣，但是由它造成的灾祸也不在少数，所以在日常生活中，大人们总是会让我们特别注意用火安全。相信你在学习过用火安全知识之后，已经知道面对不同的火情，应该使用什么样的方法来进行应对，以减小火灾带来的危害了。请你思考如果在面对以下的情境时，应该选用什么应对方法，并且说一说为什么。

　　1.炒菜油锅着火：＿＿＿＿＿＿＿＿＿＿＿＿＿＿＿＿＿＿＿＿

　　2.电暖器因为过热起火：＿＿＿＿＿＿＿＿＿＿＿＿＿＿＿＿＿

　　3.逛超市时，超市内起火：＿＿＿＿＿＿＿＿＿＿＿＿＿＿＿＿

　　4.放学时，路边汽车起火：＿＿＿＿＿＿＿＿＿＿＿＿＿＿＿＿

　　5.清明回老家扫墓时发生森林火灾：＿＿＿＿＿＿＿＿＿＿＿＿

第二站 真题演练

一、填空题

1. 19 世纪末期，_____发明了实用的电灯，造福了人类。

2. _____年，第一家火柴工厂才建成。

3. 很久以前，很多欧洲人口袋里都会装三样点火的工具，分别是火镰、火石和_____。

4. 黄磷是一种易燃物质，它的燃点低，只有_____℃。

5. 水和灰烬都不会烧燃是同一个道理，因为它们本身是_____的产物。

6. 氦气是一种_____气体，不会燃烧。

7. 在火炉的门上钻孔是为了_____。

8. _____是物体燃烧所必需的。

9. 鼻子吸入空气，呼出_____和水。

10. 燃烧着的物体盖上厚厚的毯子或者撒上一把沙子，这样能将空气和火源隔绝，火焰就会熄灭，这是因为_____。

二、简答题

1. 为什么火柴易燃？

2. 木柴燃烧后都有哪些产物？

参考答案

一、填空题

1. 爱迪生

2. 1833

3. 火绒

4. 60

5. 燃烧后而形成

6. 惰性

7. 让空气流通

8. 氧气

9. 二氧化碳

10. 它们能够将正在燃烧的物体和空气隔绝

二、简答题

1. 因为制作火柴头的东西是一种燃点低的易燃物质，当它碰到温度较高的物体时会立刻燃烧。

2. 木柴燃烧变成了水和炭，那些燃烧完全的炭又变成了二氧化碳。

第三站

餐桌和炉灶

📏 **名师导读**

　　厨房对于我们来说，可能还是一个陌生的小天地，但是从厨房里端出的美味，想必我们都不陌生，厨房可以说是我们"最熟悉的陌生人"了。今天我们就要跟随作者的脚步，走进厨房，来探究厨房里的秘密，看看这小天地里，究竟有着怎样的魔力，造就了我们的生活。

....

厨房实验室

　　干燥的松木柴在火炉中烧得噼啪作响，火焰在跳着欢快的舞蹈，像是一个热情的乡村音乐教师在带着炉灶上的群众蹦蹦跳跳。蓝色的搪瓷茶壶，玩杂技一般把自己的盖子抛向空中又稳稳接住；平底锅激动地颤抖着，发出咯吱咯吱的声响；就连体积最大的铜炖锅也加入了欢腾的队伍，肚子里的沸水不断翻滚，甚至溅到了隔壁邻居生铁小锅的身上。

　　这是充满欢乐的厨房，不过我们也可以把它当成一个化学实验室。因为这里发生的一切，正是一种物质朝另一种物质的转换，它们变得和原来完全不同，这不正是化学实验吗？

名师批注

拟人——原本按部就班、没有任何惊喜的厨房，在作者眼中却充满了趣味，松木柴、搪瓷茶壶、平底锅、铜炖锅都成为可爱的人，在厨房中展示自己的风采。

别小瞧这些炖锅、瓦钵和小锅，许多奇妙的事情就发生在它们身上。

一块我们常见的小面团在一个瓦钵里悄悄地膨胀起来，仿佛充气的气球，它逐渐变大超过瓦钵的高度。在炖锅里翻滚着的肉，在几小时前，它还是鲜红的完整的一大块，现在却变成了暗灰色，而且纹理清晰可见。

将孩子们爱吃的马铃薯放在炖锅里，它那原本硬邦邦的身体慢慢地变得软软的、粉粉的。而这些奇迹的创造者，正是挽着衣袖、系起围裙的家庭主妇。

马铃薯是什么东西？

马铃薯是我们平时常吃的一种蔬菜，它还有一个名称叫土豆，相信你对它一点都不陌生。那你知道马铃薯的组成成分是什么吗？

若是回答不出来的话，那就一起做一个实验来一探究竟。我们先将一个新鲜的马铃薯切成小块，然后将它捣成泥状，再将这些泥放进一个玻璃瓶里，往玻璃瓶中加入水，用力搅拌它们，然后用纱布进行过滤，最后把过滤后的液体静置。

过一会儿你再看玻璃瓶，就会发现在底部出现了一些白色的沉淀物，这时将澄清的水倒掉，留下沉淀物，再将沉淀物平铺在干燥的吸水纸上。经过一段时间，沉淀物里面的水分被纸吸干，你会发现纸上浮现出一片白色的粉末。

那，这是什么东西呢？

它就是淀粉。

为什么这些淀粉我们肉眼看不见呢？那是因为这些淀粉藏了起来，它们藏在了马铃薯的细胞里，这些细胞就好像是储藏淀粉的小储藏室。

我们为什么不吃生的马铃薯？

如何把马铃薯中的淀粉取出来呢？那就需要借助工具，比如用刀将马铃薯拍成碎末。或许你会说这样太麻烦了，为何我们不能选择生吃马铃薯呢？有两个原因，一是生的马铃薯口感不佳，二是我们的胃不具备这种功能。

这就是大家不生吃马铃薯，而是将马铃薯蒸熟后食用的原因。

蒸熟后的马铃薯的细胞壁因为遇到高温而破裂，水分便会挤入其中，淀粉颗粒遇到水就会膨胀，这样，马铃薯也就变得软糯了。

为什么平时我们所见的蒸熟的马铃薯摸上去是干干的呢？那是因为水分都被淀粉颗粒完全吸收了。

为什么烘烤的马铃薯有硬皮，
而煮的却没有？

马铃薯在烘烤的过程中，本身受到的热量要比水煮强烈得多。由于骤然受到高温，马铃薯的表层淀粉被转化成了一种叫作糊精的物质。

这是一种具有黏合性的胶。这种胶又把淀粉颗粒凝聚成一层黄滋滋的硬皮，所以使得马铃薯表面有一层硬皮。

名师批注

比喻——将细胞比作淀粉的小储藏室，说明了细胞的成分，也揭露了我们看不见淀粉的原因，十分生动形象。

读书笔记

我们还有哪些方法可以将马铃薯的淀粉提取出来呢？

名师批注

说明——马铃薯在被蒸的过程中，细胞吸收了水分，就会变得软糯，更利于人体吸收，所以我们在吃马铃薯时最好要将它弄熟再吃。

浆过的衣服为什么是硬的？

你会发现，如果用熨斗去烫浆过的衣服，衣服表层也会变硬。这是为什么呢？

这种情况和烘烤的马铃薯有硬皮是一样的道理。浆过的衣服表层会有一层淀粉，熨斗的高温直接作用在浆过的衣服上，衣服表层的淀粉立刻变成了糊精，所以衣服的表面会变得有点硬。

这样的衣服穿着不太舒适，它的领子能划伤你的脖子呢。

面包皮是从什么地方来的？

面粉做成面包，经过烘烤后，表面也会有一层硬硬的皮。你知道是为什么吗？想要探索真相，还是让我们一起做一个实验吧！

名师批注

说明——在一步一步自己动手操作的过程中，孩子们逐渐发现了世界的奇妙，这比直接灌输知识更加有效。

先将一小块和好的面团用布裹住，然后将裹住的面团浸在一碗水中不断揉搓，慢慢地，你会发现这碗水居然变得和牛奶一样白。将这碗乳白色的水静置一会儿，碗底就会出现一层白色的沉淀物，这个沉淀物和我们从马铃薯中得到的是同一种物质，就是淀粉。

所以，面粉里也是含有淀粉的，面包在烘烤后，表层才会有一层硬硬的皮。

为什么陈面包会变硬？

面粉中除了淀粉外，你知道还有什么成分吗？

我们将一小袋面粉放在水龙头下反复冲洗，直到只剩下一些黏黏的、有韧性的物质为止，这团黏稠的物质叫作面筋。

面筋的特点非常突出，我们只需要将它静置几个小时，它就会变得又脆又硬，如同玻璃一般。

现在你知道陈面包为什么变硬了吧，自然是因为在面包里的面筋变得又脆又硬了。

为什么面团里放上酵母就会发起来？

我们对着气球不停地往里吹气，它就会越膨胀越大，这个和面包为什么膨胀的原理是一样的，都是物体里面钻进了气体的原因。但有所不同的是，气球里面含有橡皮，是空气使其膨胀，而面团里面含有面筋，是二氧化碳使其扩展。

将一块面团放在空罐子里密封起来。第二天，你点燃一根火柴丢进这个罐子里，会发现火柴马上就熄灭了。这是为什么呢？这是因为罐子里面含有大量的二氧化碳。

在面团里面加入酵母后，酵母会发生化学反应，产生许多含有二氧化碳的小气泡。在这些小气泡的作用下，面团会逐渐膨胀起来。

那这些二氧化碳又从何而来呢？原来，面团中含有成千上万个酵母菌，它们像是一个个制造二氧化碳的微型化工厂，在不间断地工作。我们吃的面包为什么这样松软可口，就是酵母菌在其中发挥着关键性的作用。

名师批注

类比——面包膨胀的过程与气球膨胀的过程十分相似，作者通过这样易懂的例子，让我们了解到面包膨胀的原理。

读书笔记
请从修辞手法角度赏析这个句子。

面包里的小孔是从哪里来的？

当面团被放进烤箱中烤制的时候，其中的面筋经不住高温的烘烤会慢慢变得干瘪、松软。此时，那

名师批注

比喻——将面包中的气孔比作二氧化碳的通道，让读者仿佛看到了烤制过程中二氧化碳争先恐后地跑出来的场面，生动有趣的同时揭示了科学原理。

些用来锁住二氧化碳的小气泡也承受不住压力破裂开来，二氧化碳受到高温，便一溜烟地冲破面筋跑了出来。

这就是面包松软多孔的原因。面包中每一个气孔，都是二氧化碳跑出来的通道。

面包的加工过程

现在，让我们再来回顾一下前面关于面包的那些知识，相信你对面包已经有了一些基础性的认识，现在就让我们一起来看看面包的制作过程是怎样的。

家庭主妇在准备烘烤面包的时候，她会先准备好做面包的原料：水、酵母粉、盐。她先将面粉倒入盆中，再撒上一点酵母和盐，然后放入水，卷起袖子开始用力揉面。在揉面的过程中，面筋将周围又轻又分散的面粉颗粒凝结到一起，变成了一个又大又柔软的面团。最后当它们都完美地融合在一起后，她再给面团上盖好东西，放在温暖的阳光底下，让面团慢慢发酵。

名师批注

动作描写——家庭主妇熟练地揉面，却不知道神奇的变化正在她的手下产生，这一切既奇妙又充满吸引力。

在阳光底下，面包开始发生奇妙的变化。酵母悄悄地进入面团之中，微型的二氧化碳制造工厂便开始持续工作，不断地产出二氧化碳。这群活泼的二氧化碳遇到了柔韧的面筋，无论二氧化碳怎么跑，面筋都能把它们牢牢地束缚在面筋囊之中，不让它们出去。

名师批注

拟人——在作者笔下，酵母和二氧化碳都成了可爱的人，它们在面包中相互作用，最终成就了面包的美味。

随着二氧化碳持续性地增多，面团开始不断地膨胀起来。等到面团发酵好之后，家庭主妇将它们切成面包胚子，放入烤箱开始烘烤。在那里面，面团又开始了新的旅途。

在烤箱之中，面包的表层部分受到强热，淀粉变成了糊精，糊精充分发挥自己的作用，把淀粉颗粒凝聚在表层形成一层硬硬的皮。而在面包的里层，淀粉得以慢慢膨胀，变得松松软软，同蒸熟的马铃薯一般。

随着烘烤面筋慢慢变干，二氧化碳看准机会冲破束缚跑了出来，蓬松柔软的面包出炉了。亮滋滋的表皮，松松软软的内里，整个厨房充斥着诱人的面包香气，真让人想冲上去咬一口呀！

> **名师批注**
>
> 叠词——刚刚出炉的面包，在作者笔下，让我们仿佛已经闻到了香气，被诱惑得直流口水。

为什么啤酒被打开时会咝咝作响，并且冒出泡沫？

啤酒是怎么制作的呢？

啤酒是将已经发芽的大麦和小麦的麦粒放进水里，再加入酵母，酵母会马上开始工作，从这些麦粒中制造二氧化碳，从而形成气泡。

啤酒盖被打开的瞬间，瓶内的小气泡翻腾不已，迅速上蹿并破裂开来，咝咝的声音在耳边响起。与此同时，破裂的小气泡就变成泡沫向上，涌动而出。

> **读书笔记**
>
> 请试着打开一瓶啤酒，观察是否会出现文中这种现象？

汤是什么东西？

汤是十分有营养的，这是我们经常听身边人说的，但你知道吗，汤里所含的营养物质其实和清水差不多。这是不是让你很震惊？先别急，我们来寻找一下答案。

你将一碗肉汤不断地去加热，等水分完全蒸发掉之后，你会发现锅里没有剩下一点东西了。你可能会感到非常惊讶，那让我们拿着这盆肉汤去实验室做进一步分析。

通过研究分析我们发现，若这碗汤共 20 勺，除了 19 勺是水，剩下的 1 勺物质里面分别是 1/4 的脂肪、1/4 的胶质、一点混合盐类和一种叫作"味质"的东西。"味质"就是使肉类散发出诱人肉味的物质，它遇水即溶，使得肉汤飘香四溢。其实，不仅仅是肉汤，你所知道的所有食物中，水分都占有相当大的比重。

蔬菜水分含量更高。将蔬菜放在太阳底下暴晒，你会发现当水分蒸发之后，它的体积会缩小，重量也变得很轻。每 1000 克的肉类中水分含量高达 700 克，马铃薯的含水比例也是如此。

读书笔记

你最爱吃哪种蔬菜？知道它的含水量是多少吗？

我们为什么要吃肉？

我们了解了肉汤的成分，那么肉的成分，是不是也和肉汤一模一样？经过对比之后，我们发现两者的确差不多，肉里面也同样含有水分、盐和味质。但是两者之间最大的不同之处在于，肉里面富含蛋白质，而肉汤里的蛋白质几乎没有。

读书笔记

从文字中你获得了什么生活小启示？

当肉放到锅里煮的时候，水上面会浮着一些白色的泡沫，仿佛飘散的棉絮，家庭主妇们经常会觉得这层泡沫看上去不那么美观，于是喜欢拿一个勺子把泡沫撇掉，留下清澈的汤汁。这层白色的泡沫实际上是肉里面的部分蛋白质凝结所成，这样的做法把蛋白质都丢掉了，失去了肉类最有营养的一部分。

人体所需要的主要营养物质是蛋白质和水，没有它们，即便我们摄入大量脂肪、淀粉、糖分，也是无法生存的，因为蛋白质是构筑人体最基本的"建筑材料"。

可是，如果人体只是单纯地依靠蛋白质和水，没有摄入其他的营养物质，也是很难生存的。试想一下，如果你只通过吃肉来摄入蛋白质，每天要吃两三千克的肉，你的胃是很难消化掉的，最终它只能罢工。

由此可见，我们人体既需要脂肪、碳水化合物，又需要蛋白质。各类营养物质不但作为"建筑材料"构筑了我们身体，又作为燃料，不停地产出能量，维持我们身体的正常运转。

人造食品

一个人每天所需的蛋白质、脂肪、碳水化合物和盐类是恒定的。那么是否意味着我们只需要吃一些由蛋白质、脂肪等混合在一起制作而成的人造物质，比如说人造面包、人造牛奶、人造肉等，就可以满足人体所需呢？

50 年前，俄国科学家路宁研制出了一款和真牛奶含有相同成分的人造牛奶，其中也包含脂肪、蛋白质和水等物质。甚至我们无法从外表和味道来分别出两种牛奶有哪里不同。为了实验两种牛奶的效果，路宁把它们分别喂给小白鼠喝。结果，喝人造牛奶的小白鼠全部死去，喝真牛奶的小白鼠却活蹦乱跳。

是什么导致了喝人造牛奶的小白鼠的死亡呢？路宁推测真牛奶中除了脂肪、碳水化合物、蛋白质和

名师批注

对比——人体中的各类营养物质都很重要，而蛋白质是其中最基本的材料，应该重视蛋白质的摄入。

名师批注

想象——各类营养物质在人体中都发挥着不可替代的作用，在作者眼中，这样的运行机制如同一家工厂，在奇妙的想象中向读者展示了人体的运作。

名师批注

疑问——作者在提出的问题中，引出说明对象，即人造食品，既成功吸引了读者的眼球，又为下文内容做铺垫。

读书笔记 ·················

请大胆猜测，为什么两种食物造成的结果完全不同？

盐类之外，还含有某种暂不被人知晓的物质，是人造牛奶中所没有的。路宁又通过大量的实验试图找出这种物质，但都未成功，这是因为当时的科学技术的局限，这种物质在牛奶中含量极少，靠技术难以将它们分离出来。

其实不只是路宁，更多国家的科学家也开始投入到人造食品的研究中。他们将制成的人造食物喂给动物吃，希望借此研究人造食物的可行性，但是全都失败了。所有吃人造食物的动物都没能存活，这充分说明人造食物中缺乏维持生命的重要物质。

科学家根据这一发现又联想到，是不是因为人类缺乏这种营养物质，才因此生病甚至死亡的呢。

读书笔记 ·················
为什么缺少新鲜的水果和蔬菜，人体就会逐渐衰弱生病甚至死去？

其实在很早之前人们就发现，在长途旅行之中，因为缺少新鲜的水果和蔬菜，人体会逐渐虚弱、生病甚至死去。

在大海之中航行，往往需要数月的时间，而在海上漂泊的船员们，通常吃不到新鲜的果蔬，只能吃一些易于储存的腌牛肉和干面包。长此以往，他们便容易生一种病——坏血症。早期的船队经常发生这样的情况，风暴和海盗不会使他们绝望，而坏血病却能让整支船队毁灭。

名师批注

列数字——因为缺少新鲜的果蔬，导致船队遭受灭顶之灾，可见缺少某种营养物质的危害之大，即使身处发达的现代社会，我们也应该警惕。

就连14世纪著名的航海家、探险家瓦斯科·达·伽马也没能逃过这种命运。在一次航行之中，他的160人的探险队中，有100人死于坏血病，让整个船队遭受到了毁灭性的打击。

而在18世纪，另一位航海家库克之所以能周游世界，带领着他的探险队员们顺利完成航海任务，正是因为他吸取了葡萄牙人的教训。每次登岸时，都会补充甘蓝、橘子和柠檬等一些新鲜果蔬放进船舱，从而避免了坏血病对他们船队的危害。

由此可见，蔬菜和水果之中含有人体中必需的某种特殊物质。

当一种物质被我们发现，却无法说出它的名字时，它还是神秘莫测的。但当我们逐步深入研究快要发现它的名字时，就已经成功了一半。现下也是如此，科学家们发现了新鲜果蔬中含有人体所需的某种物质，只知道它对人体有益，对它还没有了解透彻。但当人们逐步探索，并建议将这种在牛奶中或者果蔬中含有的物质叫作"维生素"时，历史前进的车轮已经势不可挡了。

全世界的科学家们曾用 30 年的时间来进行研究，做了成千上万的实验，终于发现了好几种维生素，并被人类熟知。

比如说维生素 A，它能帮助人体骨骼生长；维生素 D 能使人们不患佝偻病；维生素 C 可以制止坏血病的发生。

这些维生素大量存在某些食物之中。比如说鱼肝油，就含有大量的维生素 D，你吃的每一勺鱼肝油，都能使骨骼更加结实，使肌肉更加强壮。孩童喝的牛奶，含有大量的维生素 A，可以补充钙质，让孩童更快地生长。

再比如说橘子和苹果，含有大量的维生素 C。食用它们可以让我们远离坏血病。

现在，维生素研究已经从科学领域延伸到保健领

读书笔记

请查阅资料，了解蔬菜水果中含有哪些特殊物质？

名师批注

夸张——维生素的发现，使人类的文明又向前走了一大步，这是科学发展的成就，值得被历史铭记。

名师批注

举例子——在我们的生活中有着各种不同的维生素，它们在人体内各自扮演很重要的角色，是不可或缺的部分。

读书笔记

你平时吃的食物中都有哪些维生素？有没有哪一种维生素摄入不足？

域，营养学家们对它们也十分重视。科学家做了一张表格，上面清楚地列出各种食物的营养元素。通过这张表，可以看到各类维生素在不同食物中的含量大有不同。甘蓝中维生素含量比莴苣高，牛奶中维生素含量比奶油少。在掌握了这些知识后，我们能更加均衡健康地饮食。

现在，科学家研究发明的人造维生素应运而生，而这些维生素甚至比天然的还好。比如我们获取维生素 D，本来需要进食 500 千克鱼肝油，但现在我们只需要 1 克制成的维生素 D 片就可以获取到，1 克人工制造的维生素 D，相当于半吨鱼肝油中维生素 D 的含量；当我们将未吃完的蔬菜加热再吃的时候，里面的维生素 C 其实已经破坏了，而科学家研制出的人造维生素 C，不会因为受热和煮熟而流失。

现在人造食物的包装袋上都标明了成分表，我们可以轻而易举地知道每克食物里面所包含的各种营养物质的含量，有多少脂肪、蛋白质、碳水化合物、盐类和维生素等，这在一百多年以前可是不敢想象的。

盛在瓶子里的美食

世界上最美妙的食物是什么？

我想是妈妈们喂养宝宝的香甜乳汁。

乳汁是世界上最有营养的液体之一，它含有构成我们身体的肌肉、皮肤、毛发、骨骼、甲爪和牙齿所需的一切。幼狮喝着乳汁，慢慢成长为一头雄狮，大吼一声山谷都为之震颤。就连鲸，也是喝着妈妈的乳汁慢慢长大，成为世界上最大的一类动物。

乳汁富含的养分，满足了幼崽所需的一切营养物质，如水、脂肪、糖分、蛋白质、盐类、维生素和微量元素，应有尽有。乳汁的最上层，漂浮着一些看似水滴状的东西，那是脂肪。因为脂肪比较轻，所以会漂浮在上层形成乳脂。此时，若你飞快地搅动乳脂，乳脂便会渐渐和水分离开来，凝结在一起，形成奶油。

若你想自制奶油，只需要把乳脂放在加塞的瓶子里不停地摇晃就行了。

奶为什么会变酸？

奶在常温下，通常在一到两天就会变酸。若你希望它能快速变酸，只需往里面滴入一些醋，醋会立刻产生作用，几秒之内奶就会变酸，成为凝乳。

那凝乳是一个什么东西呢？它叫酪素，是一种乳蛋白质，还被称为酪蛋白。它可以像糖一样溶解于奶中，一旦有酸性物质倒入奶里，酪素会马不停蹄地带着脂肪立刻分离。

那我们现在来分析一下为什么牛奶会变酸吧。其实是因为酵母菌。

酵母菌是一种飘浮在空气中的常见细菌，它趁着空隙进入牛奶之中，促使乳糖变成了乳酸。一旦产生了乳酸，牛奶就变酸了。

那么要怎样做，牛奶才能不变酸呢？最好的办法就是把它煮沸，毕竟高温能杀死所有的细菌，这样一来，酵母菌也被一起杀死了。如果你在煮牛奶的过程中，发现牛奶凝结了，那肯定是因为细菌早在牛奶被煮之前将它里面的乳糖变成乳酸啦。

名师批注

拟人——酪素在遇到酸性物质之后便会立马带着脂肪分离，作者赋予酪素人的情态，展现了酪素在遇到酸性物质时产生化学反应的速度之快，让人不禁赞叹。

干乳酪里的小孔是从哪里来的？

我们将一块凝乳放进地窖，过了很长一段时间，细菌在地窖中不停地工作，凝乳最终变成了干酪。

这时你会发现干酪里也有许多小气孔，这些气孔和面包里的小孔非常类似，都是二氧化碳造成的。

干酪中的二氧化碳又是从哪里来的呢？自然是由细菌制造出来的。

为什么干乳酪放很长时间也不会变坏？

干酪能够长时间地存放，是因为它的表层有一层皮。可别小瞧这层皮，它不仅保护干酪不受细菌侵害，同时还使干酪不会完全变干。

在瑞士，一直保留着一个古老的传统，那便是在孩子出生的时候，家人会给孩子制作一块大的干乳酪，并且在上面刻上孩子的出生日期和姓名。这块干酪将会被家人完好地保存着，每当孩子生日之时，便会切一小块拿出来摆到餐桌上。这块干乳酪陪着孩子从摇篮到坟墓，甚至死后仍然代代相传。

由此可见，干乳酪能长久保存。瑞士的报纸曾经报道过这样一件趣事，有一块120岁"高龄"的干乳酪，被人们切开之后食用，依然风味犹存。

古代的人都吃什么东西？

早在远古时期，人类还未学会耕种，只能以狩猎为生。他们做好陷阱或者成群结队去打猎，无论是捕获到动物、野兽或者鸟类，都会把它们吃掉，用以维持生命。更有甚者，在部落战争中，饥饿的人们还会吃俘虏。传说就在 100 年以前，还存在着食人部落，每当他们与别人交战，总会追着敌人大喊："肉哇，肉哇！"

可以想象，敌人一听，就闻风丧胆了！

世界上的第一颗谷粒是何时被播种的，我们不得而知。而在古埃及的金字塔中，我们已经发现了人类用石头舂谷粒的绘图。

远古时期的面包与现在我们食用的松软可口的面包可是大相径庭！远古时期的面包是由一团用碎谷粒加水调和而成的面糊，待面糊放久变干后，人们就当作面包来食用。

现如今，生活在东方的民族，仍然保留着最原始的玉米饼做法。他们并不使用添加酵母后的发酵面团，而是用最纯粹的面团来做玉米饼。这样一来，常常会发生面糊变酸了的事情，但人们发现变酸后的面团更加蓬松、软糯。后来人们将酸面糊和新磨制的面粉混合制作，经过高温烘烤，就变成了现在的面包。

为什么面糊会突然变酸呢？原来是空气中的细菌在发生作用。空气中飘散着各种细菌，其中就有乳酸菌和酵母菌，当这两种细菌散落到面糊里，面糊就变酸了。直到今天，仍然有面包师喜欢用酸面团做面包。

随着时代的进步，人们逐渐学会了耕种，学会了烘烤面包，这些食物也变得触手可及。可你知道吗，现在看似不起眼的马铃薯，18 世纪末在欧洲可是一种稀有物品，将马铃薯用作烹饪，只有在法国的国王餐

名师批注

语言描写——在野蛮的远古时期，食人族追着敌人大喊"肉哇"，可见他们的凶残，敌人被震慑住也在情理之中。

名师批注

叙述——在金字塔中已有人类用石头舂谷粒的记载，虽然无法确定第一颗谷粒何时种下，但是我们也能知道，人类播种谷粒的历史必定十分悠长。

读书笔记 ·············

为什么 18 世纪时，马铃薯在欧洲会是一种稀有物品？

桌上才能看到。

马铃薯的原产地是在南美洲，直到 16 世纪才和其他的稀奇物种一同被传入欧洲。最开始的时候，它不是被种在土地里的，因为种子珍贵，欧洲的贵族们将它种在花盆中，作为一种稀有植物来观赏，就连法国王后的胸针上还有马铃薯花。

读书笔记••••••••••••
现代中国社会，马铃薯大部分在哪个地区种植？为什么？

而如今，马铃薯已经是人们家喻户晓的食物之一，它对环境的适应能力很强，在欧洲也能很好地生长。

我们喝咖啡和茶有多长时间了？

读书笔记••••••••••••
作者引用旅行家肯普弗的这段话有什么作用？

17 世纪的旅行家肯普弗，在旅行到莫斯科的时候曾写过这样一句话："饭前喝伏特加和啤酒，饭后喝蜂蜜。"由此可见，那时啤酒已经走入了人们的生活，而咖啡和茶这两种饮料在欧洲却无人知晓。

茶叶传入欧洲是在 1610 年。荷兰商人将它们从遥远的爪哇岛带过来，对外宣称为"神灵草"。他们号称这种草功效很多，最好是不分昼夜，每天喝个四五十杯。有位荷兰的医生甚至说茶叶可以包治百病。于是茶开始在欧洲逐渐盛行起来。

读书笔记••••••••••••
请查阅资料，说一说茶叶是否只对人体有害呢？

可事实上，茶叶并不是一种草，它是茶树的叶子。而且这种树叶也没有什么特殊功效，长期饮用浓茶甚至有损身体健康。

那时，欧洲还没开始种植茶叶，茶叶是进口产品，所以茶叶的价格非常昂贵，只有富人才能喝得起。

咖啡出现在茶叶之后。四处经商的法国商人说，他们在土耳其和埃及看到过一种奇异的树木，当地人喜欢用这种树木的叶子制成饮料饮用，当地人叫它"咖发"，具有健脾养胃的功效，还能提升人的精气神，所以它取代了葡萄酒，成为当地人最喜欢的饮料之一。

后来，在法国国王的宴席上便出现了咖啡。大家对这种饮料非常好奇并推崇，贵族阶层都纷纷流行喝咖啡，慢慢地，医生、商人、律师也纷纷效仿。于是，大街上有了许多咖啡馆，人们在里面谈笑风生，消磨时光。

不过因为喝咖啡也发生过一些问题。比如说柯尔培尔大臣就因喝咖啡烧伤了胃，因此慢慢有传言说喝咖啡会损伤身体，能引起肠绞痛、胃溃疡，让人精神萎靡，甚至缩短生命。

在当时，有一位公主甚至站出来公然反对饮用咖啡这种"加了水的烟灰"，她声称自己从不喝这种饮料。

咖啡和茶叶出现在莫斯科的时间是 1665 年，有准确的记载，在塞缪尔·柯林斯医生于 1665 年开给沙皇陛下的药方上，明确写道："咖啡，波斯人和土耳其人喜欢饭后饮用；茶叶，用来治疗感冒和头痛效果很好。"

在当时，巧克力也遇到了此类情况。人们认为巧克力是用来喂猪的，一旦进入人体，它会灼烧血液，使得人们慢慢死去。

当时的人们有这种想法无可厚非，因为那时的巧克力和现在大不相同。以前的墨西哥人将可可、玉米面和胡椒混合在一起制成巧克力，没有一点甜味。这

名师批注

叙述——因为国王很喜欢一种饮料，所以这种饮料受到了大臣和百姓的追捧，可见上行下效在各国都是十分常见的一种现象，所以作为统治者必须要对自己的一言一行负责。

名师批注

叙述——面对未知的巧克力，人们的猜测显得有些愚昧，而这正是因为科学技术的不发达造成的。

名师批注

叙述——巧克力在不同地区受到的待遇不同，而在它做出改变之后，人们便接受了它，因此我们在接受其他国家的文化时，也需要取长补短、因地制宜。

读书笔记

除了北极探险，巧克力还在哪些情景被广泛食用？

种巧克力被旅行家科尔特斯从墨西哥带回欧洲，并不被人们接受。而后来，人们将可可粉磨碎，加入糖、香草、其他香料，再经过多重工序压榨制成巧克力，香甜可口，为大众所喜爱。

茶、咖啡和巧克力是否真的有损人体的健康呢？

科学家们经过研究后发现，茶和咖啡的营养成分低，甚至含有一些对心脏和神经有害的物质，所以饮用要适度。但巧克力含有大量蛋白质和脂肪，还有一定的抗氧化剂，可以迅速补充人体热量，所以它们也是前往北极探险的旅行家们的必备物品。

古时候的人用什么吃东西，怎么吃？

皇宫之中，也免不了一日三餐。让我们来看看国王、公爵的餐桌吧。上面摆放着金银制成的贵重器皿、丰富可口的美食，但是无论你怎么找，都找不到一个普通的餐叉。

这是因为那时人们吃东西都是用手直接抓取。偌大的餐桌之上，只有两三把餐刀，常常需要等很久才能轮到自己使用，更别说少得可怜的碟子。于是人们常常将大片的面包当成餐碟，在用完餐后将这些布满"汤汁"的面包直接扔去喂狗。

直到300多年前，餐碟和餐叉才慢慢出现在人们的生活之中。而在当时，这种奢侈的东西，只有宫廷里才有。

现在，让我们走进十四十五世纪的欧洲城堡，看看武士们吃饭的情景吧。

我们沿着高高的石头台阶走上去，出现在我们眼

读书笔记

现在还有哪些国家或地区依旧保持着这种饮食习惯？

名师批注

想象——作者仿佛带我们走进了时空隧道，一起见证餐具的发展历史，想象大胆、充满趣味。

前的是一座华丽而有些昏暗的大厅。大厅的顶部是拱形的，看上去空旷高昂，厅内火光摇曳，时而明亮时而暗淡，现在外面仍是白天，但是大厅内窗户紧闭。毕竟那时候还没有玻璃这种东西，正值隆冬，如果不关上窗户，人都会被冻成冰棍。

面前的房间是一间餐厅，然而里面却没有餐桌。只有等到要开饭的时候，餐桌才会被仆人临时搬过来，更准确地说是架起来。那时会出现这样一个场面——快要开饭了，一个佣人慢悠悠地走过来，他不知从哪儿拿出一堆支架，三下五除二便把支架支好，然后把宽大的桌板放在上面。

接着他拿出一块绣着一幅幅生动的狩猎图案的台布铺在桌上，然后依次摆放好一小瓶盐、一些面包碟子和两三把刀，最后将椅子摆放好，等待主人们来吃饭。

顿时一大群人热热闹闹地向这边走来。看得出来他们刚打猎归来，城堡的主人走在最前面，他的儿子以及邻近的地主们走在他的后面。这一帮人身材高大、双颊绯红、声音洪亮。在他们身边的是两只猎犬，还有其他几只凶猛的野兽，它们龇牙咧嘴，高大威猛。走在最后的是城堡主人的太太，她刚刚给佣人分派完家务，姗姗来迟。

在大家坐定后，佣人从厨房端来一大盆熏好的熊肉，他用刀熟练地将肉切成一块块的，撒上胡椒粉，顿时香味扑鼻，佣人将切好的肉分给在座的每一个人，大家打完猎回来都饥肠辘辘，顿时狼吞虎咽地吃起来，很快一大盆熊肉就被吃个精光。

名师批注

环境描写——武士们居住在富丽堂皇的城堡中，交代了故事发展的背景。

名师批注

动作描写——仆人准备餐具时动作非常简单，可以看出当时餐具的稀少，人们还是常常用手抓饭吃，细节中体现的内容十分丰富。

紧接着，佣人们从厨房里端上来野猪排、烤全鹿、烤天鹅、烧孔雀等珍奇异兽烹饪的食物，每个人将吃剩的骨头堆积在台布上，像一座小山。餐桌之下也热闹非凡，两只猎狗一边打闹一边争抢着主人们扔过来的肉骨头。

这是一顿漫长的聚餐，待每个人酒足饭饱后才停下来，随后佣人们又将各种烤饼、水果端了上来，葡萄美酒、蜂蜜饮料也被一饮而尽。吃着、闹着、喝着、笑着，觥筹交错之间，人们欢呼雀跃，猎狗狂吠助兴。哪怕有几个客人喝醉了倒地睡着，聚餐也不曾停止。

英国最早的餐叉

1608 年，英国人汤姆斯·科里阿特旅行到意大利。他每到一处地方都会将所见所闻所感记录下来。在他的日记本中写下了华丽的威尼斯宫殿、壮阔的古罗马大理石庙宇，以及雄伟的维苏威火山。但有一个物品才是这趟意大利之旅中最让他感到惊讶的。

他在游记中这样写道："在大家都用手抓饭的时候，意大利人却并非如此。他们认为手并不能时刻保持干净，因此用手抓取食物不够卫生。于是他们在用餐时，使用了一种金属质地的小叉子，能够优雅地叉起食物放入口中。"

科里阿特购买了许多这种"叉子"，并将它们带回英国。那时的餐叉可不像现在一样精美方便，意大利人当时使用的叉子手柄短小，末端有一颗球，前端只有两股叉，非常类似现在的音叉。

回到英国后，科里阿特非常想炫耀这种叉子。在一次盛大宴会上，当着亲朋好友及众多宾客的面，他从衣服口袋里面拿出了餐叉，想要像意大利人一样优雅地将食物叉起来放进嘴里。

毫无疑问，他吸引了所有人的目光。大家目不转睛地盯着他，围着他问这是什么东西。科里阿特解释说这是意大利人用餐的叉子。小小的叉子被所有人传阅，大家无不惊叹意大利人的奇思妙想。但是，对于使用餐叉进食，大家持有怀疑的态度，认为这并不可取，因为实在是太不方便了。

汤姆斯·科里阿特对他们的说法感到不满，于是反驳道："用手抓取食物不够卫生。"这句话犹如深水炸弹引爆了大家的愤怒："莫非我们用餐前不会把手洗干净吗？还是你认为双手不比这两根叉子取食物更加灵活方便？既然你要用这种古怪的东西，那你就去用吧。"

科里阿特很不服气，拿起叉子便想要从盘子中取一块肉吃，谁料叉起来的肉还没到嘴里就掉到了台布上，惹得大家哄堂大笑。科里阿特羞得满面通红，只得偷偷地将叉子藏进了口袋。

直到50年后，英国才开始广泛地使用餐叉。

据说，英国人广泛使用餐叉是从穿花边立领的衣服开始的。以前，人们特别喜爱穿戴带花边领子的衣服，然而穿着这种衣服用餐十分不方便。当人们低头吃饭时，花边领子会卡着脖子，抵住下颌，让人无法低头，远远看上去像盘子上面有一颗硕大的头。于是，为了不弄脏衣领，大家才开始使用餐叉。

名师批注

语言描写——面对科里阿特的特立独行，人们不是很能接受，他们坚持自己的看法，不为所动。

读书笔记
从这个传说中你能获得什么感悟？

不过，这个说法无法得知是否是真实的。其实餐叉的出现是基于人们卫生习惯的改变。说得直接些，就是人们越来越爱干净了，开始勤换衣服、勤洗澡了，用手进食已经无法满足人们的需求了。

读书笔记 ·············
为什么人们会越来越爱干净？

17世纪末，莫斯科也开始使用餐叉。旅行家迈耶尔堡曾写过这样一段话："宴会厅上，丰盛的食物摆满餐桌。人人面前都放着汤匙和面包，但碟子、餐叉和刀子只属于最尊贵的客人。"

名师精华赏析

早餐的小馄饨、午餐的清蒸鱼、晚上的一碗好喝的汤，这些味道就是我们每天的生活，也是我们成长中的美好回忆。厨房里藏着一个家庭和谐的密码，而我们作为每个家庭重要的一员，更没有必要将自己与厨房隔开。如果可以，请从下一顿饭开始，走进这个小天地，一起创造家的奇迹吧！

积累与运用

 好词

干燥　颤抖　膨胀　扩展　烹饪　间断
干瘪　回顾　束缚　透彻　发酵　漂泊　偌大

一探究竟　　神秘莫测　　马不停蹄　　风味犹存　　推崇效仿

哄堂大笑　　谈笑风生　　无可厚非　　龇牙咧嘴　　姗姗来迟

饥肠辘辘　　狼吞虎咽　　觥筹交错

佳句

那是因为这些淀粉藏了起来，它们藏在了马铃薯的细胞里，这些细胞就好像是储藏淀粉的小储藏室。

面筋的特点非常突出，我们只需要将它静置几个小时，它就会变得又脆又硬，如同玻璃一般。

原来，面团中含有成千上万个酵母菌，它们像是一个个制造二氧化碳的微型化工厂，在不间断地工作。

当肉放到锅里煮的时候，水上面会浮着一些白色的泡沫，仿佛飘散的棉絮。

各类营养物质不但作为"建筑材料"构筑了我们的身体，又作为燃料，不停地产出能量，维持我们身体的正常运转。

幼狮喝着乳汁，慢慢成长为一头雄狮，大吼一声山谷都为之震颤。

美文仿写

充满欢乐的厨房，也是化学实验室，在这里，我们可以创造出很多奇迹，而创造这些奇迹的厨具也是作者的朋友。在作者的奇特想象中，这些厨具都化作了可爱的人，有着自己独特的脾气，在厨房里坚守自己的岗位，充满油烟的厨房瞬间就变成一个童话世界，让人充满期待。请你仔细观察自己家的厨房，仿照下列文段，介绍一下吧。

干燥的松木柴在火炉中烧得噼啪作响，火焰在跳着欢快的舞蹈，像是一个热情的乡村音乐教师在带着炉灶上的群众蹦蹦跳跳。蓝色的搪瓷茶壶，玩杂技一般把自己的盖子抛向空中又稳稳接住；平底锅激动地颤抖着，发出咯吱咯吱的声响；就连体积最大的铜炖锅也加入了欢腾的队伍，肚子里的沸水不断翻滚，甚至溅到了隔壁邻居生铁小锅的身上。

_____

_____

_____

_____

知识大宝藏

　　每个小吃货都是一个潜力股，而作为小吃货的你肯定也品尝过不少美食。有没有哪一道菜的味道让你至今难忘呢？那么今天就挑战一下，自己动手做出你最爱的美食吧！请向你家的大厨学习做法，完成菜谱，并且请家人品尝你做的菜，在下表中给你打分。

　　例：西红柿炒鸡蛋。

步骤 1

准备食材。鸡蛋三个、中等大小西红柿两个、盐 1 克、糖 2 克、食用油适量。

步骤 2

将鸡蛋去壳打散、西红柿切小块备用。

步骤 3

锅中倒入适量底油，油热之后，倒入蛋液。

步骤 4

待鸡蛋稍稍凝固炒散后，把鸡蛋推到一边。然后放入西红柿，煸炒均匀。

步骤 5

往锅里加少许糖煸炒均匀，然后大火收汁。

步骤 6

最后关火，放盐翻炒均匀即可装盘。

评分人	打分	小建议
爷爷		
奶奶		
爸爸		
妈妈		
我		

第三站 真题演练

一、填空题

1. 马铃薯是我们日常中常吃的一种蔬菜，它还有一个名字，叫作_____。

2. 由于骤然受到高温，马铃薯的表层淀粉被转化成了一种叫_____的物质。

3. 面团发酵的过程中，_____进入面团之中，产出_____，使得面团不断地膨胀。

4. _____是啤酒的主要原料之一。

5. 如果一碗汤共20勺，除了19勺是水，剩下的1勺里面的物质分别是1/4的脂肪、1/4的胶质、一点_____类和一种叫作"_____"的东西。

6. 每千克的肉类中水分含量高达_____克。

7. _____是构筑人体最基本的"建筑材料"。

8. 维生素C可以制止_____的发生。

二、简答题

1. 为什么马铃薯蒸过后会变得软糯？

2. 维生素是人体必需的营养成分，我们在日常生活中可以通过哪些方法来补充维生素呢？

参考答案

一、填空题

1. 土豆

2. 糊精

3. 酵母、二氧化碳

4. 小麦

5. 混合盐、味质

6. 700

7. 蛋白质

8. 坏血病

二、简答题

1. 蒸熟后的马铃薯的细胞壁因为遇到高温而破裂，水分便会挤入其中，淀粉颗粒遇到水就会膨胀，这样马铃薯就变得软糯了。

2. 多吃橘子和苹果，可以补充维生素C；通过食用人造维生素补充人体所需维生素等。（言之有理即可）

第四站

厨房锅架

![尺子图标]

名师导读

　　厨房大冒险还没有结束，本章我们要来认识厨房中的主角——锅。一口好锅，就像一个将军手中的利剑，能够帮助大厨们在战场上百战百胜。那究竟怎样的锅算是一口好锅呢？这口好锅又是怎样打造出来的？这些问题的答案就在本章内容之中，赶紧找一找，看看你是不是第一个找到的人。

不同的七样东西

名师批注

过渡——前面三站的内容丰富多彩，后面的内容也不落下风，此处承上启下，为下文做铺垫。

读书笔记 •……………

在你家厨房的锅架上都有些什么？请列出一个清单，并说明每一样物品的用途。

　　我们的屋内之旅魔幻而充满乐趣。从水龙头到火炉，再从火炉到餐桌，你是不是觉得探索越深入，越让人着迷？那就让我们像旅行家那样，拿出旅行记录本，一起朝第四站厨房锅架进发吧，将所看到的一切事物都记录下来。

　　现在，在厨房的锅架上，你可以看到七样东西，分别是两口铜炖锅，一只糖罐，一把镀锡铁茶壶，一只瓦罐，一口小饭锅和一口大白炖锅。

　　你知道这七样物品身上都有什么谜题吗？

　　或许你会问："炖锅、瓦罐也是谜题吗？"

　　是的，它们可值得研究呢。

厨架上的两口铜质炖锅一个是红色，一个是黄色。那为什么颜色不同，内壁颜色都是白色呢？难不成铜有红、黄、白三种颜色？

你再思考一下，两口炖锅在锅壁和锅底的厚度都相同的情况下，有可能小的比大的重吗？你可能会说不会。但实际情况是，当你拎这个小的黄色铜锅，却发现它可比旁边那个大的白色炖锅重多了。那为什么小铜锅比大炖锅还重呢？那是因为它们的材质不同，白色的炖锅是铝做的，铝是一种很轻的金属。

旁边的瓦罐看起来十分粗糙，没有金属做成的炖锅光滑闪亮，不讨人喜欢，但你知道吗？瓦罐可是炖锅的亲戚呢。

那难道茶壶和糖罐也是亲戚吗？那还真是的！它们都是用同一种原料——镀锡铁的物质制作而成。镀锡铁又是什么呢？它和铁之间又有什么不同？

在旁边被冷落了很久的小饭锅生气了，你们怎么不说说我呢。那我们就来看看它吧！小饭锅若掉到地上，你觉得它会摔碎吗？答案是否定的！因为制成它的是生铁，生铁是不容易打碎的。你若想将它打碎，那就得用一把小锤子狠狠地敲它了。

这样看来，世间万物都是谜题，等待人们去探索研究。

为什么不同的东西要用不同的材料来制成？

厨房架子上的七种东西，都是由不同的材料制成的。为什么要用不同的材料来制作不同的物品呢？能不能采用相同的材料制作呢？

读书笔记
不同材质的锅有什么不同的作用呢？

名师批注
拟人——小饭锅如同任性的孩子，在被冷落时也会吃醋争宠，在作者的想象中，厨房总是充满趣味的。

读书笔记·············

你家厨房中的用具都是用什么材料制作的？为什么要选择这种材料呢？

造成这些问题的关键在于材料的不同属性和特点。材料们也是个性特异的，有的怕酸、有的怕水、有的脆弱易碎、有的粗糙抗震。比如说小饭锅，它可以使用生铁或者铜来制作；又比如说茶壶，它也可以使用铜或者镀锡铁来制作。但是，若用生铁或者镀锡铁来制作拨火棍，那是不能使用的。镀锡铁材质的拨火棍非常容易弯曲，而生铁材质的拨火棍则遇到火就会断裂。

由此可知，选择材料是一门学问，我们必须考虑它的用途，依照用途再来做选择。

什么样的材料最坚固又最不坚固？

铁是大家公认的坚固又耐用的材料，因此常常使用它们建筑桥梁和车站。然而它却害怕潮湿的环境和雨雾。在潮湿的环境中，铁会慢慢生锈，而铁锈所产生的破坏力惊人，最坚固的铁制建筑，若是在潮湿的环境中，也会变得不再坚固。

古代有许多留存至今的物品，比如说埃及法老的金手镯和金戒指，但你见过有任何铁制品流传下来吗？哪怕是普通老百姓使用的铁镰刀都极少有流传下来的。这正是因为铁很容易生锈，几百年后的人们，想要找寻我们这个时代的铁制建筑，基本上也是很难找到的。

这时你不禁会问，铁锈是如何产生的，有没有办法阻止铁生锈呢？

铁为什么会生锈？

当家庭主妇将铁制的刀叉清洗后，未进行擦拭就将它放在橱柜里，过几天再使用时就发现生出了斑驳的铁锈；人们随后发现，若是将清洗干净的刀叉擦拭干水分后再放到橱柜里，再次使用时并不会生锈，由此人们得出潮湿是造成铁生锈的罪魁祸首。

有一次，在浅海海底潜水的几个潜水员发现了一艘 150 年以前的沉船。他们在船上找到了几枚残存的炮弹，这些炮弹经过海水腐蚀，已经长满铁锈。曾经威力无比的炮弹，如今如同豆腐似的，用刀子一切就断了。

有些物品，基于它的使用环境是无法保持干燥的。比如说茶壶、浴盆和水桶，他们本来就是用来盛水的，自然不可能时刻保持干燥。铁制的屋顶也是如此，下雨过后屋顶就会潮湿，我们也不可能用毛巾把它擦干。

即使是在万里无云的晴天，铁依然会极为缓慢地生锈。因为空气中本来就含有水分，流动的空气能吹干所有东西，却唯独无法去除它本身所自带的湿气。这些湿气来源于方方面面，刚拖过的地板、晾晒的湿床单、雨后的水坑等，它们无孔不入地进入空气之中，让空气变得湿润。

那么，有没有方法可以避免铁生锈呢？

将铁和水分隔开的方法就是在铁的表面涂上一层油。比如说你可以在它表面涂上一层液体油，炒菜用的葵花籽油也行，这样一来油层会将水和铁分隔开来，就不会生锈了。

名师批注

比喻——将长满铁锈的炮弹比作一切就断的豆腐，可见它此时不堪一击。

读书笔记 •••••••••

我们可以用什么材料来制作茶壶、浴盆呢？

名师批注

说明——空气中的湿气是无法避免的，如果铁没有任何保护措施，暴露在空气中也很容易生锈。

当然人们很少采用涂抹液体油的方式，而是选择了更好的材料油漆。油漆是由干性油和颜料调和而成，所谓干性油就是熬煮过后的熟油，熟油相比生油而言干燥速度快很多。将油漆涂在铁的表层，过不了多久，它就会干燥变硬，形成一层坚固的保护膜，这层膜易于制作、持久耐用，自然比液体油更有优势，也能够更好地对铁形成有效的保护。

涂抹油漆的方式可以用于屋顶、水桶，但是不能用于茶壶。毕竟茶壶煮的是热水，油漆遇热会快速脱落。

为什么镀锡铁生锈不像普通的铁生锈那样厉害？

名师批注

引入话题——从巧克力的锡箔纸包装，说到同样原理的镀锡铁，为下文的说明内容做铺垫。

我们吃巧克力的时候，会发现它的外面常常包裹着一层白色的锡箔纸，那层纸与镀锡铁类似，可以有效保持巧克力干燥，以避免与空气接触而坏掉。而镀锡铁也是如此，它是在铁的表层镀一层锡，这种方式实用而美观，不仅可以保护铁不生锈，所制成的白色镀锡铁还可以用来制作糖罐、食品罐头和便宜的茶壶等。

名师批注

对比——不镀锡的铁刀很容易被腐蚀，镀锡后则不会有这样的问题，在两者的对比中，可以知道在铁的表面上镀锡的好处与必要性。

在铁上面镀锡，不仅防潮而且防酸。相对水分而言，酸性物质对铁腐蚀更严重。用一把普通的铁刀切开一个柠檬，若不及时把刀洗净擦干，刀子上会很快有一层褐色的锈斑，这就是酸性物质在铁上发生了化学反应的缘故。如果是锡就不会有这样的问题，只有强酸才能腐蚀它。

你还可以仔细观察一下装过酸性水果的罐头盒，

那层镀锡铁一般没事，即使有生锈的地方也是因为被罐头划伤而露出了本体。镀锡这种好用的方式，多用于小件物品上，如果用在铁制屋顶或者其他大面积的物体上就不划算了。

那大面积的物体一般用什么来防止生锈呢？还有一种便宜又耐用的金属，叫作锌，镀锌铁皮比镀锡钢板更划算、耐用。

你或许会好奇，既然金属锌便宜又好用，为什么不将镀锌铁用在食品罐头盒和加工餐具上呢？这是因为每种材料都有自己的弱点，锌是不怕水，但是它非常怕酸，即使是弱酸也能把它腐蚀掉。我们平时食用的食物中大部分都含有弱酸。比如苹果中含有果酸。锌一旦遇到酸就会发生化学反应生成毒性很强的物质，因此，它是万万不能用于制作厨房类的器皿或者保存食品的。

但是，它还是可以用于制作水桶或者浴盆。这些东西平时接触的都是水，镀锌铁皮用来防水还是绰绰有余的。在日常生活之中，即使我们在铁上面镀上了一层金属保护膜，也要爱惜使用它们。比如说铁制的房顶，要定期刷油漆，遇到生锈的地方要更换，这样屋顶的寿命才能长久。

> **名师批注**
>
> 疑问——作者似乎与我们有心有灵犀的默契，总能问出我们内心的疑问，让我们一直思考，寻找自己想要的答案。

> **名师批注**
>
> 议论——现代社会中，我们能够使用的金属种类越来越丰富，我们更应该合理选择不同材料，并且节约资源。

铁器是用什么做成的？

一听到这个问题你定会感觉奇怪，可能会理所当然地认为，铁器那肯定是铁制成的呀。实际上，钉子、马蹄铁、拨火棍等铁制物品都不是由纯铁制成。它们是由铁、碳及其他物质的混合物制成的。

那有没有不添加其他物质的铁呢?是有的,它就是纯铁。但是纯铁的价格非常高。提炼出来精纯的纯铁不仅贵而且不实用,比如说纯铁的拨火棍几乎无法使用。

因为纯铁非常柔软。由它制成的拨火棍,一捅炉子就会弯曲。同理可知,纯铁的钉子钉不了东西,纯铁的刀子也切不了东西,因为它们实在是太软了。与此同时,纯铁还具备很强的延展性,你甚至可以把它慢慢展开,变成一张比卷烟还轻薄的"铁纸"。

我们日常生活中的铁很少有纯铁,多多少少都含有杂质。这些杂质之中有部分能改变铁的性状。比如说硫,它是铁的敌人,能使铁变脆弱,容易断裂;比如说碳,它是铁的朋友,能使铁变得坚硬。因此大多数铁中都含有碳。

那你一定很好奇,碳是怎么加进铁里面的?

众所周知,铁从铁矿石中提炼而来。铁矿石是铁和氧的化合物,我们想要把铁从矿石中分离出来,就需要把它们和焦炭一起放入巨大的炼铁炉之中,焦炭在受热后会将炼铁炉中的氧消耗掉,这样铁就能从矿石中分离出来了,然后铁矿石中的铁被留下来,沿着管道流到炉子底下,这部分留下来的铁中还含有另一部分碳。它们熔解在铁水中,就好比糖溶解于水中一样容易。所以,留下来的并不是纯铁,而是含有碳和铁的混合溶液,我们叫它生铁。生铁从出生之时,就和碳密不可分。

如果将空气融入熔化的生铁之中,其中一部分碳会燃烧殆尽,我们用这种方法来制作钢和熟铁,称之为马丁炉法。

为什么生铁不像熟铁，熟铁不像钢？

碳在铁中的含量决定了铁的性质和形态。

让我们来比较一下这几样东西：熟铁制成的拨火棍、钢制的小刀和生铁制成的小饭锅。从外表看，它们没有丝毫相似之处，材质也完全不同，那实际也是如此吗？

熟铁制成的拨火棍看起来质地粗糙，表面覆盖着一层褐色的氧化铁皮。它不容易弯曲，但一旦弯曲就不容易伸直，而且十分结实耐用，无论你怎么去敲击它，它都不会折断。

钢制的小刀泛着光亮的外表，刀刃锋利无比。它有一定的弹性，弯曲后可以自己伸直。但如果弯曲得太厉害有可能会断裂。这种特性决定它的使用用途，刀具最合适，不适合做成拨火棍。

生铁制成的小饭锅，已经浑身黝黑，外观不那么漂亮了。这是因为生铁中含有大量的碳所以它很容易碎，真是既不漂亮还很脆弱。生铁的这种特性，决定了它不适合做拨火棍、钢刀，但是作为在火上反复灼烧的饭锅是可以的。

这三样东西的制作方式也存在着很大差异。

拨火棍是熟铁反复烧红锻打而成。熟铁在高温之中被烧得通红，此时的熟铁是软的、有韧性的，在这一阶段你可以将它锻造成你想要的任何形状；小刀同样也是由熟铁锻造而成，但是不一样的是，熟铁锻造打出需要的形状后，还需要放入冷水中冷却，这道工序叫作"淬火"。经过这一工序，钢铁会变得十分坚硬。

熟铁和钢在高温之下都会变软，因此可以将它们锻造成各种形状，但生铁和它们完全不一样，它既不能敲打，也不耐高温，一遇到高温它就会熔化成铁水。那生铁如何做成小饭锅呢？

读书笔记 ·············
请查阅资料，了解"浇铸"的程序。

其实生铁做的小饭锅不是锻造的，而是浇铸而成。将生铁熔化后浇铸到一个土制成的模具之中，冷却凝固之后，就变成了小饭锅。

以上这些制造方式的差异取决于铁之中的碳含量。由此可见，就碳含量而言，生铁大于钢，钢大于熟铁。那么，有没有什么简易方法可以判断一把刀里面的碳含量呢？

还真有。

读书笔记 ·············
现代社会中有没有更加精确的测量方法呢？

用砂轮打磨一把刀，它的刀锋之上便会迸射出火花。若火花像树枝一样岔开来，就说明钢里含碳量不低，火花分岔得越多说明含碳量越高。与之相反，如果火花是一条完全不分岔的直线，那么这把刀是熟铁制成的，而并非钢。

大多数时候，我们都可以根据事物的表象，如形状、颜色、性质等，来判断它的材质。

会生病的纽扣

名师批注
背景介绍——金属也会生病？在文章开头，作者便吸引了我们的注意，让人想要继续往下阅读探究。

我们知道，锡这种金属能够有效防止铁生锈，但某些时候，它自己也会生病。锡生的这种病，类似于人类世界的瘟疫，传播速度快，扩散范围广。一旦某一件锡制品生病了，病情会快速蔓延至其他邻近的锡制品。

80年前的圣彼得堡，便发生了一次这样的"瘟疫"。在圣彼得堡的一所仓库里，存放着大量的军装。有一天，人们在其中一件军装纽扣上发现了可疑斑点，当时没放在心上。没过多久，人们却发现这种斑点几乎布满了所有军装的纽扣，而且斑点的面积逐步扩大。人们感到诧异和恐慌，想要阻止却又无能为力。只能眼睁睁地看着纽扣们长满斑点，疏松不堪，直到最后成了灰色的粉末。

科学家们花了很长的时间来研究这种"纽扣病"。直到最后才发现它们是被某种物质所"感染"。

原来，这些纽扣都是由锡做成的，而锡又分为白锡和灰锡两种，如同碳也分为金刚石和石墨等好几种。白锡和灰锡能相互转换。若在白锡中添加一点灰锡，就会导致传染发生。当然，仅仅有传染源还是不够的，温度也要合适，要控制在20℃以内。

现在，我们再来看看当时仓库里发生的一切吧。在圣彼得堡的仓库中，不知道为何落入了一点灰锡，这点灰锡栖息于一件军装纽扣上，纽扣便生出了许多斑点。又因为仓库之中无法生火，温度适宜，灰锡"瘟疫"爆发了，传染了整座仓库的军装纽扣。终于，所有纽扣都染上了这个"瘟疫"，变得疏松不堪，最终散落成一摊灰色的粉末。

有没有黄色的铜？

前面我们认识到了生铁、熟铁和钢的特性，现在让我们来了解一下桌上的两口铜炖锅。

市面上很多铜炖锅的外形颜色是红色，我们称这种材料为红铜，红铜其实就是我们说的纯铜。而另一口黄铜炖锅的材料实际上不是纯净的铜，而是铜和锌的合金，黄铜里面只有一半是铜，最多也不会超过2/3。

要想知道其中锌所占的比重，从它的颜色就能得出结论：锌的含量越多，黄铜的颜色则越浅，当锌超过一半以上，黄铜就会接近白色。

铜炖锅在洗干净后是要立即擦干的，如果没有将它擦拭干净，它的表面会很快被一层褐色或绿色的东西覆盖，这就是铜锈。铜锈和铁锈是否也会对铜产生致命伤害呢？实际上它们之间区别很大，铁锈会顺着脉络直入内里，而铜锈滞留于表层不再深入。这就是我们常说的铜被氧化了。

铜表层的氧化膜会保护它不再受到腐蚀，仿佛涂了一层油漆。这就是为什么古代的青铜器可以流传至今。它们表面穿上了一层薄薄的绿色衣服，这件衣服保护着它们，即使经过几个世纪的流传也不受其他物质腐蚀。

你见过铜币吗？铜币一般过了一段时间就会失去光泽，这是因为它们的表层被氧化了。不过，想让它们恢复光泽也很容易，只要将它放入氨水里洗一洗就会焕然一新。铜的氧化物溶解于氨水之中，把氨水变成迷人的蓝色，而铜币也得以清洗干净，锃亮如初。

黄铜因为加入了锌，所以比纯铜的氧化速度要慢得多。

现在，让我们拿起铜炖锅，来看看它的内壁。你会发现一件有趣的事情，它的内壁是白色，外壁却是红色。这明明是铜炖锅，为什么内壁是白色呢？你的猜想没错，上面镀了一层白色的膜，它就是我们的老朋友"锡"。为什么要在内壁上镀锡？那是因为铜炖锅作为厨房用品，经常用来烹饪食物。而铜容易被酸性或者含盐的食物腐蚀，从而形成一种含有剧毒的铜盐，因此必须要镀上一层锡用以阻止食物和铜发生反应，与此同时，这层锡也保护着铜不受食物中酸和盐类物质的侵害。

读书笔记 •···············
你家厨房有没有内壁与外壁不同颜色的锅？它们分别起到什么样的作用？

除了瓦罐，还有什么东西是黏土制成的？

黏土的应用非常广泛，有很多物品都是由它制成的，比如说集市之中漂亮醒目、形状各异的瓦罐和盆钵。你或许不敢相信，想问它们真的是由黏土制成的吗？是真的，就是那些当你走在泥泞不堪的乡间小路时，粘在你鞋子底上的让你无比讨厌的黏土。

黏土不仅能做成我们日常生活中需要的那些瓦罐和盆钵，建造房子的砖、水泥和涂料也都离不开它。还有很神奇的一点是，我们在这些黏土中可以找到一种金属——铝。

读书笔记 •···············
在日常生活中，你见过哪些黏土制成的用品呢？

不久之前，铝还只出现在科学家的实验室中。而如今，家家户户都用上了铝锅烹饪食物。事物发展就是如此迅速，不值得什么大惊小怪。众所周知，铝既不像铁一样容易生锈，也不像铜一样容易被酸性物质腐蚀。但是它也有缺点，它害怕碱性物质，比如肥皂这类的碱性物质，所以不要让它与这类物质接触。

铝还有一个名字，叫"土银"，然而它和银的差

读书笔记 ●···············
请从比喻修辞的角度赏析这个句子。

别是很大的。相较于银而言，它更容易因为氧化而变色，好像穿上了一层灰白色的外衣。这层氧化物虽然导致它变色，但是能有效地保护它不被继续氧化。此外，铝和铜的氧化物区别也很大，铝的氧化物无毒无害，铜则不然。

每种材料都有自己的优势，虽然用铝制作的东西不太可能永远闪闪发亮，但它有一个金银铜铁都比不上的优势，那就是它的重量很轻，只有铁的1/3，因此铝广泛应用于飞机制造之中。

读书笔记 ●···············
为什么质量轻的铝会被广泛应用于飞机制造中？

铝的包容性也非常好，它能和其他金属混合，形成在强度和硬度上更具价值的合金。比如说将铝和镁、铜、锰混合在一起，就会形成硬铝，这种合金和钢一样坚硬，但重量只有钢的1/3。

铝的用处这么大，你一定想不到我们脚下踩的黏土中就含有它。但就目前而言，铝主要从铝矾土和冰晶石这两种矿物质中提炼而来。黏土中虽然含有它，但是含量很低，提炼的成本太高，目前还没有有效而简单的方法来实行。

读书笔记 ●···············
从矿物质中提炼铝的过程是怎样的？

这时候你可能会想，那用脚下的黏土去做瓷器也不错。但是瓷器也并非是普通黏土制成的，制作它的材料叫作高岭土。

高岭土是一种稀有、纯净的白色黏土，这种黏土很难找到，在俄罗斯的北部地区才有。在彼得格勒，人们盖房子所需要的砖块，它不是用高岭土来制作的，而是用当地最常见的普通黏土，这种黏土中含有许多混合物。

读书笔记 ●···············
请查阅资料，了解一下我国境内高岭土的分布。

要想弄清楚这其中的混合物是什么，先把一小块黏土放进杯子里，试着把其中的杂质分离出来，做这件事情并不困难。

将黏土放进杯子后加水搅拌，等混浊的水慢慢沉淀后，你会发现重的杂质沉到了杯子底部，黏土形成了充满悬浮颗粒的混浊溶液。然后，将这种液体倒入另一个杯子，放一些盐进去，过一会儿你会发现，液体中较轻的颗粒逐渐沉入杯底，水也变得越来越清澈。此时，杯底形成的就是黏土层，而第一只杯底留下的则是砾石、粗石灰石、沙粒。

这看似神奇的实验，在自然界中也曾发生过。

你可以把混着沙砾的黏土块，想象成一座巨大的花岗岩山脉。而倒入杯子里的水则是奔腾不息的河流。花岗岩虽然坚固，但是也会逐渐被风化成沙砾和黏土。山涧中奔腾的河流裹挟着沙砾和黏土往下游流去。因为砾石和粗沙很重，所以很快沉淀下来，而较轻的黏土和细沙则继续被河流裹挟着，慢慢下沉到地势平缓、流水较慢的地方。

于是，这些地势平缓的河底，渐渐形成了黏土层。当河流干枯或改道，黏土层就一直留了下来。而那些被水流冲刷的圆润发亮的小卵石，就像是我们实验中杯子里的砾石，它告诉我们，在很久很久以前，这里有过一条奔流不息的河流，而如今却消失不见了。

黏土中的杂质很多，除了砾石和沙子，还有铁锈等。这就是为什么你看到的黏土可能是黄色或红色，而且用黏土烧制而成的砖块也是红色的。这是黏土自带的天然色，人们还可以用它制作颜料。

名师批注

说明——在一步一步的实验中，我们懂得了黏土形成的过程，这是作者在向我们介绍这些现象时的魅力所在。

读书笔记

请你跟随作者的想象，画出黏土形成的示意图。

名师批注

拟人——小卵石经历了物是人非的变迁，只有它还能想起曾经流过这里的河流，在趣味的想象中增添了一丝伤感。

花岗岩在风吹日晒后变成沙砾和黏土，这并不奇怪。相较而言，用黏土制成厨房里的瓦罐更让人惊叹。

让我们拿一小块黏土和一小片陶瓷碎片进行比较。你会发现黏土质地疏松，很容易散开；而陶瓷碎片紧密结实，很难散开。

我们也可以用水做实验。黏土泡入水中，会变得松软进而变成泥浆；陶瓷碎片泡入水中则不会有任何变化。我们还可以利用黏土柔软的特性，将它塑造成任何一种想要的形状。而陶瓷碎片坚硬而锋利，除非你把它打碎，否则它的形状不会发生任何改变。

瓦罐能给我们什么知识？

要想制作瓦罐，我们首先得准备一个黏土团，然后加入水将黏土团调和均匀。这时你或许会问，制作瓦罐是不是必须加水呢，干黏土行不行？这个问题很好，我们要保持这种发散的思维，持有一种怀疑的态度，就能发现更多的可行性。

实际上用干黏土也是可行的。现下使用的一种冲压机，就是利用大气压力将黏土制成陶瓷制品，而没有用到一滴水。简而言之，就是将干黏土放入钢制模具中，用冲压机加压冲击制成陶瓷制品。但是，这个过程需要200大气压。你知道200大气压是什么概念吗？

我们用书来举例吧！200大气压就好比你在一本书上放了四辆满载货物的卡车。这么大的压力可想而知，依靠人的力量是绝对做不到的。

我们都知道机器在运作一段时间后，就要给它加上润滑油，目的是减少机器里各个部件的摩擦力。给黏土团里面加水也是同样的道理，可以减少黏土颗粒之间的摩擦。除此之外，水还可以让黏土颗粒更加紧密结合在一起，不会分散开来。将黏土放入模具之中，黏土颗粒便会结合得更加紧密。

普通手工制作的黏土制品，在烘干的过程中，它内里的水分会慢慢蒸发，逐渐变得干燥，在这期间，黏土颗粒靠得更近，所制造的黏土制品也会更结实耐用。用黏土制成的砖头，在干燥之后，它体积只有砖坯的1/4。而这种砖头的不足之处在于，它在被雨淋过后，经过太阳暴晒容易开裂，就好像你所见过的，因干燥而裂开的池塘底部。

有什么方法可以使黏土不开裂呢？那就需要在其中掺入一些沙子。这些掺入的沙子起着黏合剂的作用，将黏土颗粒牢牢控制住，形成一副坚实的骨架，将黏土的收缩控制在可接受范围之内。

了解了黏土的知识后，我们就开始制作瓦罐吧。我们先找到一些黏土，加入黏土分量的1/3的水，像揉面粉那样慢慢地揉。这个时候要注意水的比例，水太多，黏土团会粘手；水太少，黏土团就会松散不成形。我们再将一些细沙加入黏土团里，再把它们充分糅合在一起，直到看不到沙粒就可以了！现在，我们要把它捏成小罐啦。

各种黏土的成分不同，因此制作过程也不是千篇一律。有的黏土需要多加水少加沙子，有的则刚好相反。如果你是第一次制作黏土小罐，掌握不了加水和沙子的比例，这实属正常。你可以用实验的方式来确

读书笔记
作者为什么要在这里提到给机器加上润滑油这件事？

名师批注
举例子——作者用"因干燥而裂开的池塘底部"，具体生动地写出了砖头开裂的景象。

读书笔记
作者在说明沙子的作用时运用了什么手法？

名师批注
第一人称——作者通过第一角度的叙述，让我们感觉身临其境，仿佛手中正拿着黏土在制作瓦罐，这段文字有让人沉浸其中的魔力。

定黏土团的成分含量，也可以多试几次，多做几个黏土小罐，总会找到最合适的比例。

将小罐捏出形状后，你却发现它一点儿也不漂亮，甚至它的外形很不规则。你本来想捏一个圆形的罐子，现在这个罐子，从上往下看却是个椭圆形，像是一张被压扁的脸。这可怎么办呢？毕竟我们想做的是一个漂亮的罐子。这可就有一点难度了，因为仅靠肉眼和手的力量彼此配合，我们是无法保持罐壁到中心的距离都一致的，这就好比我们不使用圆规工具没法徒手画出个正圆一样。

你一定会问，那些非常漂亮的陶罐是怎么制作出来的呢？其实是在一个特制的旋盘上来操作的。这种旋转盘是专门制陶的一种工具，叫作陶工旋盘。它是以一根轴为中心，装上一块会旋转的大圆板。做陶器的时候，陶工把揉捏好的黏土放在旋转盘的正中心，将大拇指用力摁进黏土里，将其余四根手指扶稳黏土，借助旋转的力道，慢慢成形，不久后陶坯就成了圆形。

其实这种方式类似于我们画圆，将一个圆规插入中心，然后转动纸张。圆规就是陶工的手指，转动的纸张就是旋转盘。罐子成形后，还得把它放到通风架上去晾晒，晾晒干了还要进行烧制。因为不进行烧制的话，罐子遇到水就会变成泥。窑里的温度非常高，在烧制罐子的时候，有的罐子会开裂，如果发生这种情况，那是因为土坯还没有完全干透。黏土中的水分遇到高温会立刻变成水蒸气，而这些水蒸气的体积远远大于水，遇热就会不断膨胀，直到冲破罐壁，致使

名师批注

比喻——制作失败的罐子如同一张被压扁的脸，可见这个罐子的丑态，在作者的描绘中，好像见到了自己面对失败的罐子时的沮丧。

罐子裂开。

　　罐子还在窑里烧制，我们不如来想想：为什么要把它放在窑里烧制呢？

　　这是因为，黏土罐还在烧制的时候，它其中的黏土颗粒遇到高温会融化，彼此更加紧密地结合在一起。烧制之后，陶罐有了韧性，即使遇到水，黏土颗粒也不会移位，再也不会变成一团黏土了。它们已经如同海绵一样，联结成一块整体结构。

　　经过几个小时的高温烧制，罐子终于烧制好了。它表面泛着砖红的色泽，光鲜亮丽，待变凉后就可以用来盛水了。但是，这个看似完美的罐子还有一个问题，它虽然不漏水，但是会渗水。这是因为黏土颗粒之间还是存在着空隙，这些空隙像是一个个小孔，水还是会从中渗出来。

　　这可怎么办呢？这时，若你去厨房拿出一个你使用过的陶罐，你会发现它们的表层涂了一层非常光洁的薄膜，我们把这层薄膜称之为釉，它的作用便是把小孔完全封死，这样你在盛水的时候就不用担心水会渗出来了。

　　如果我们的身体能缩小到钻入陶器的缝隙之中，一定会对里面的构造感到惊奇。让我们一起进入其中去探险吧！咦，这里一片漆黑，伸手不见五指。点亮火光之后，我们会发现自己仿佛置身于蜿蜒起伏的岩洞之中。这个岩洞四通八达，贯穿黏土颗粒构成的整个石壁。渐渐地，我们穿过了漆黑的地方，走向了光明。

　　我们迫不及待地朝光明处奔去，发现前面是一

名师批注

过渡——作者身处于情境之中，给予读者真实的体验，在罐子烧制时提出问题，为下文解释烧制罐子的原因做铺垫。

名师批注

类比——黏土颗粒在经过烧制之后形成了如同海绵一样的整体结构，使得陶罐能够更加结实耐用。

名师批注

说明——当我们遇到问题时，要学会从身边寻找答案，也许从一些平常的事物身上就能找到我们想要的东西。

名师批注

想象——我们与作者一起化身为小人，在陶罐里面进行冒险，找到了会渗水的小孔，也见到了能够将小孔封住的釉，在冒险过程中明白了它们各自的作用。

道透明却无法穿透的墙，我们继续朝其他的路奔去，依旧如此，最后不管怎么尝试都会遇到这个透明的墙壁，岩洞的出口仿佛被封住了一般。是的，封住它的就是透明的釉。

那人们是如何给罐子上釉的呢？其实最简单的方法就是将盐、水和沙子调和，将这种混合物涂在罐子的表层，然后再将罐子放进窑里烧制。经过烧制，盐、沙子和黏土混合在一起，便形成罐子表面这层薄薄的釉。

名师精华赏析

原来每一种锅都有自己的用途，而为了实现这些用途，也需要找到合适的材料来打造这口锅。哪怕只是一口锅，要打造出来也不容易，需要我们不断地思考、实验，最终才能让材料与用途相得益彰。所以，独立思考的品质是我们在现代社会中必不可少的。新世纪的少年们，加油吧！

积累与运用

好词

着迷　谜题　粗糙　擦拭　斑驳　腐蚀　高昂　黝黑　清澈
灼烧　裹挟　罪魁祸首　万里无云　无孔不入　绰绰有余
理所当然　众所周知　无能为力　泥泞不堪　大惊小怪
奔流不息　风吹日晒

💡 佳句

旁边的瓦罐看起来十分粗糙，没有金属做成的炖锅光滑闪亮，不讨人喜欢，但你知道吗？瓦罐可是炖锅的亲戚呢。

在潮湿的环境中，铁会慢慢生锈，而铁锈所产生的破坏力惊人，最坚固的铁制建筑，若是在潮湿的环境中，也会变得不再坚固。

比如说硫，它是铁的敌人，能使铁变脆弱，容易断裂；比如说碳，它是铁的朋友，能使铁变得坚硬。

它们熔解在铁水中，就好比糖溶解于水中一样容易。

若火花像树枝一样岔开来，就说明钢里含碳量不低，火花分岔得越多说明含碳量越高。

而那些被水流冲刷的圆润发亮的小卵石，就像是我们实验中杯子里的砾石，它告诉我们，在很久很久以前，这里有过一条奔流不息的河流，而如今却消失不见了。

我们迫不及待地朝光明处奔去，发现前面是一道透明却无法穿透的墙，我们继续朝其他的路奔去，依旧如此，最后不管怎么尝试都会遇到这个透明的墙壁，岩洞的出口仿佛被封住了一般。

💡 美文仿写

每一个化学反应在微观的世界里都是场面宏大的巨变，作者就用自己生动有趣的语言给我们放大了这个微观世界，比如，灰锡和白锡化作人类，在一系列的变化中，让军装上的纽扣成为一摊粉末。我们生活中的化学反应也不少，请你仿照下列文字，介绍其中一个化学反应发生的过程。

在圣彼得堡的仓库中，不知道为何落入了一点灰锡，这点灰锡栖息于一件军装纽扣上，纽扣便生出了许多斑点。又因为仓库之中无法生火，温度适宜，灰锡"瘟疫"爆发了，传染了整座仓库的军装纽扣。终于所有纽扣都染上了这个"瘟疫",变得疏松不堪,最终散落成一摊灰色的粉末。

_____

_____

_____

_____

_____

知识大宝藏

随着现代科学技术的发展,如今厨房的锅变得五花八门起来,各类材料神仙打架,只为打造最适合厨师的一款神器,为更多的家庭送去美味。请你为你家的锅做一个调研,并完成下面的调研表。

调研表				
锅名	材料	优点	缺点	改进建议

第四站　真题演练

一、填空题

1. 在_____的环境中，铁会慢慢生锈。

2. 流动的空气能吹干所有东西，却唯独无法去除_____

_____。

3. 油漆是由_____和颜料调和而成。

4. 涂抹油漆的方式可以用于屋顶、水桶，但是不能用于_____。

5. 锌不怕水，但是它非常怕_____。

6. 如果将空气融入熔化的生铁之中，其中一部分碳会燃烧殆尽，我们用这种方法来制作钢和熟铁，也被称之为_____。

7. 就碳含量而言，_____大于钢，钢大于熟_____。

8. 白锡和_____能相互转换。

9. 用黏土制成的砖头，在干燥之后，它体积只有砖坯的_____。

二、简答题

1. 制作瓦罐所需要的黏土在自然界是怎样形成的呢？

2. 制作厨具需要根据用途来选择材料，目前我们已经有非常多种类的材料可以选择，你觉得制作锅具的材料要满足哪些条件？列举两点即可。

参考答案

一、填空题

1. 潮湿

2. 它本身所自带的湿气

3. 干性油

4. 茶壶

5. 酸

6. 马丁炉法

7. 生铁、铁

8. 灰锡

9. 1/4

二、简答题

1. 花岗岩虽然坚固，但是也会逐渐被风化成沙砾和黏土。山涧中奔腾的河流裹挟着沙砾和黏土往下游流去。因为砾石和粗沙很重，所以很快沉淀下来，而较轻的黏土和细沙则继续被河流裹挟着，慢慢下沉到地势平缓，流水较慢的地方。于是，这些地势平缓的河底，渐渐形成了黏土层。当河流干枯或改道，黏土层就一直留了下来。

2. 耐高温；无毒无害等。（言之有理即可）

第五站

碗　柜

名师导读

　　参观完厨房中的锅，我们再打开厨房的碗柜，看看里面实用却十分脆弱的盘子、茶杯和碟子，听起来十分矛盾，但是它们在这些物品上完美地结合了。让我们一起来仔细看看这些艺术品，在它们的身上又有哪些秘密在等我们去发现？它们的身世会不会和锅一样精彩？打开书，我们便能找到答案啦！

厨房瓦罐的显贵亲戚

　　瓦罐有很多近亲，比如说铝锅以及硬铝制造的飞机。除此之外，它还有一群和它从事着同一工种，也同样在厨房里待着的亲戚。但是这群亲戚并不在锅架上，而是在另一个柜子里，那就是碗柜。

　　打开碗柜，你可以看到颜色不一、大小不同的各类盘子、茶杯、碟子，以及一只掉了手柄的糖罐和一个缺了嘴的茶壶。它们整整齐齐地排成一队，仿佛是要接受人们检阅的士兵。别看它们有的残缺不堪，但所有东西都是用上了白釉的粗瓷制作，拂去尘埃后闪闪发亮。这里面最漂亮的要数那只细瓷茶杯。它有着弯弯的手柄，精致小巧，杯子的描画呈现淡淡的红

读书笔记

为什么说瓦罐和铝锅以及硬铝制造的飞机是近亲？

名师批注

比喻——这些杯子、盘子等物品被比作要接受人们检阅的士兵，可见做工是十分精美的。

读书笔记·············
作者对细瓷茶杯的
描写有什么妙处？

色，高贵典雅。杯体上的画面，有一条若隐若现缓缓流淌的小河，水边有一座磨坊，还有一个悠然自得的渔夫在垂钓，好不惬意。

相比这些精美的瓷器而言，那些釉色灰暗的瓦罐真是黯然失色。但是，如果没有瓦罐，瓷器也将不复存在。因为制作粗糙的瓦罐的工艺，是制作精美瓷器的基础呢。

瓷器究竟是谁发明的？

名师批注

介绍背景——对于瓦罐出现的时间，科学界目前还没有明确的定论，但这是科学界一直在努力解决的问题。

瓦罐是什么时候出现的，考古专家到目前为止还无法准确知道。沿海诸国，如法国、丹麦、瑞典等，它们的某些地域分布着狭长而平缓的土丘。考古人员在挖开一些土丘后，发现了许多奇奇怪怪的东西：吃剩的鱼骨头、肉骨头、贝壳，或一些石头制成的刀、鹿角制成的鱼叉，除了这些东西外，还发现了用黏土做成的瓦罐碎片，不过它们表面粗糙，而且底部很不平整，呈尖形或者圆形。

几千年后，细瓷器才慢慢走进我们的生活。但这并非什么奇怪的事情，毕竟制造细瓷的工艺可比制造瓦罐复杂多了。世界上最早掌握烧制陶器技术的是中国人，早在1700年以前就已经掌握了这项技术。可是，这项技术真正的黄金发展期是在15世纪的明朝。

读书笔记·············
请查阅资料，说说
我国的瓷器是什么
时候开始出现的？

这种瓷器随着文化交流传到欧洲，大受欧洲人欢迎，被他们视为珍贵的宝物，价格都是用黄金计量。在当时的欧洲，没有人知道这种瓷器的制造工艺，过了很久之后，才有一位炼金术士发现了制造瓷器的

读书笔记·············
为什么当时的欧洲
没有人知道瓷器的
制造工艺？

秘密。

　　萨克森国王奥古斯都有一个御用炼金术士，名叫标特格尔。当时，炼金术士们都在寻找"炼金"之法，他们认为如果把铜、铁和铅等金属和"哲人石"混合在一起，就能变成黄金。但是谁也说不上来"哲人石"是什么。大家用了几十年时间来寻找这种莫须有的石头，自然是无功而返。

　　尽管如此，炼金术士们依然坚信这种石头的存在，与此同时，贪得无厌的国王也广泛招揽炼金术士来为他炼金。虽然给他们提供了优渥的物质条件，但是国王还是非常害怕宫廷里的炼金术士逃跑，于是把他们幽禁了起来。由于炼金术士长时间炼不出黄金，残暴且失去了耐心的国王，将他们绑在绞刑架上处死，具有讽刺意味的是，这种绞刑架和往常的不同，它被镀上了一层金子。

读书笔记•⋯⋯⋯⋯⋯
为什么要在这种绞刑架上镀上一层金子？

　　炼金术士们为了保命，日复一日地炼着金，在寻找"哲人石"的过程中，也会偶尔有其他的发现。在一次偶然的机会下，14 岁的标特格尔得到了一本笔记本。这本笔记本中记载着"哲人石"的资料以及炼金的方法。自此以后，标特格尔一发不可收拾，他走火入魔一般爱上了炼金，成天思考着炼金的方法。但是，炼金至少需要一个实验室，而他显然不具备这个条件。刚好，当时标特格尔在一家药房当学徒，每天深夜，他趁所有人都睡着之后，悄悄地来到药房里做炼金实验。

　　有一天，他正沉醉于实验之中，被穿着睡衣的药剂师左纶逮了个正着，左纶严厉地询问他在实验室里

名师批注

心理描写——面对失败，标特格尔没有放弃自己的梦想，而是始终坚信着自己的方向，这样纯粹的赤子之心非常难得。

名师批注

类比——赌徒不会轻易放弃赌博，标特格尔也不可能轻易放弃自己的炼金梦，表现了标特格尔对炼金的痴迷。

做什么，标特格尔诚实地回答了自己在炼金，结果他被骂得满脸通红，最后背着包灰头土脸地回家了。他没有钱财，穷困潦倒，包里只有一件衬衫、一条破裤子和那个他视为珍宝的笔记本。但是标特格尔并不灰心，他坚信这本笔记本会带给他巨大的财富。

标特格尔的父亲是一个可怜的铸币工，正在为如何养活一大家子而发愁。标特格尔回到家中，没有人对他笑脸相迎，没过多久，迫于生活压力，标特格尔又去请求左纶收留自己。

这次，他发誓再也不会在药房里做炼金实验，要老老实实地当一个学徒。但是，他真的能做到吗？他对炼金的痴迷深入骨髓，就像一个赌徒痴迷赌博一般。

果不其然，没过多久，标特格尔老毛病又犯了，忍不住偷偷地在药房里做起了炼金实验。他左顾右盼，环顾四周，生怕被左纶发现。可是，经过上次的事情，左纶也多留了一个心眼，时时刻刻注意着他。在一个深夜，倒霉的标特格尔又被左纶当场捉住，这一次左纶没给他任何辩解的机会，直接让他拎着背包滚蛋。

可怜的标特格尔似乎是走投无路了，他不敢回家给父亲增添负担，可上天对他似乎格外眷顾，一个偶然的机会，他结识了当地的贵族——冯·佛尔斯登堡公爵。公爵听闻这个 16 岁少年的故事后，对他的炼金术十分感兴趣，于是将他带回了自己的城堡，还花重金给他建立了一间真正的实验室。

至此，标特格尔有了金钱和豪宅，不再是一个穷小子了！左纶听说这件事后，仿佛失忆一般忘了自己对标特格尔的所作所为，一个劲儿地对外人夸耀自己的药店出了一个大名鼎鼎的炼金术士。顾客们听后，淡然一笑，纷纷恭维他："正是因为有你这样的好老师，才能教出优秀的学徒啊。"

十几年过去后，标特格尔已经从少年变成了一个中年男人，他虽然享受着公爵提供的优越条件，炼金术却没有丝毫进展。慢慢地，公爵对他的态度，也由起初的无比信任到冷言冷语，现在，公爵甚至怀疑他是个骗子。而在那个时代，骗子的罪名要是成立的话，是要受到严厉的刑罚的。标特格尔听到风声想要逃跑，谁料却被侍卫抓了回去。

回到公爵城堡的标特格尔，被强迫着必须完成炼金实验。这真是莫大的讽刺，他原来因为想做实验而被药房赶走，现如今却因为不想做实验而被公爵威胁。

最后，标特格尔还是无丝毫进展，公爵彻底失去了耐心，让标特格尔把炼金术写出来交给他。陷入绝境的标特格尔根本就没有这种秘术，只得胡编乱造，写了一本无人能懂的天书交给公爵，企图蒙混过关。可是，公爵哪有那么好骗呢？看到天书的公爵勃然大怒，立刻把标特格尔投入监狱，于是标特格尔失去了自己拥有的一切。

这下，连左纶都无法吹牛自己有个优秀的学徒，他瞬间变脸，和众人一起嘲笑道："我就说标特格尔是个骗子，像他这种人就该被送到绞刑架上。"众人面面相觑，不久之前他还炫耀自己的学徒，如今却被他抛之脑后了。

事情总是峰回路转，命运之神又一次眷顾了标特

名师批注

对比——标特格尔的命运如同一个玩笑，荒诞又令人哭笑不得，如作者所言，实在是讽刺。

名师批注

语言描写——标特格尔得意时左纶便夸赞，标特格尔失意时左纶便嘲笑，见风使舵的小人嘴脸在作者笔下被刻画得十分生动。

格尔。他又遇到了一个贵人——契伦豪森伯爵。伯爵向萨克森国王进言，不如让标特格尔戴罪立功，研究制造细瓷器。毕竟在那个年代，细瓷器比黄金还珍贵。不久之前，奥古斯都国王还用整队人马换取了普鲁士国王的48件中国细瓷器。

奇迹终于发生了，标特格尔的实验居然成功了。他真的用黏土制作出了细瓷器，只是瓷器的颜色不是白色而是褐色。

国王虽然给予标特格尔很多赏赐，可是他失去了自由，国王将他长久地囚禁在迈森城堡中，害怕他泄露制造细瓷器的秘密。到了1707年，细瓷器逐渐走向市场，莱比锡的集市上开始售卖细瓷器，在迈森的阿尔布勒喜兹堡有了一座规模化的瓷器工厂，而标特格尔在这里终于制造出了白色细瓷器。

很快，迈森细瓷器风靡全球，它的商标是两把交叉的剑，让人印象深刻。这种工厂制造的细瓷器和中国制造的几乎没有任何差别。

尽管做出了如此巨大的贡献，标特格尔依然在迈森城堡过着如同囚犯一般的日子。他迫切地渴望自由，可是没有人敢给他自由。他已经不再年轻了，迫切想要逃离这座牢笼。于是，他偷偷地联系上普鲁士宫廷，但密谈还未进行多久就被人揭发，标特格尔被逮捕并判叛国罪。这次命运之神没有眷顾他，但仍然给了他最后的体面，他没有来得及上绞刑架就病逝在监狱之中。

名师批注

叙述——标特格尔的人生因黄金和瓷器而起起落落，充满坎坷。

读书笔记

请分析句子中"几乎"一词的作用。

读书笔记

标特格尔的最终结局给了你什么启示？

制造细瓷器的秘密

迈森城堡的守卫们被下令要严守国家的最高机密，那这个秘密是什么呢？它便是制造细瓷器的方法。

让我们一起来看看制造瓷器的秘密有哪些吧！

第一个秘密——黏土。制造细瓷器需要专用的一种纯白无瑕的黏土，它与烧制普通瓷器的黏土不一样，据说标特格尔是在无意之中发现了这种黏土。有一天，他正在整理自己卷曲的假发，往上面擦粉，发现这种粉非常的细腻，经过他仔细地研究他发现这不是一种粉，而是一种非常纯净的白色黏土，而且，他还在迈森城堡的周围发现了大片这样的黏土。他用这种黏土来制造细瓷器，获得了初步成功。

或许事实比传闻复杂得多，但当标特格尔发现这种特殊的黏土时，他成功的步伐已经迈出了一大步。

第二个秘密——白沙、云母或者长石。标特格尔发现细瓷器的制作也需要加入沙子。而且，他还找到了一种适合制作细瓷器的纯净白沙，加入这种沙子后，晾晒干黏土时，它就不会开裂。而后再加入云母或者长石，整个黏土颗粒便会熔得更顺畅。

第三个秘密——沉淀。无论是沙子、云母，还是长石，在加入黏土前，都要充分地将它们碾碎后进行沉淀，就像我们之前在杯子里沉淀黏土的实验一样。沉淀而来的大颗粒将会被倒掉，只有浮在水上面的细碎粉末才是有用部分。当然，黏土也同样需要沉淀，将大颗粒杂质都剔除掉，保证留下来的颗粒都是细腻的。

名师批注

设问——因为细瓷器非常难得，所以制造细瓷器的方法成了国家的最高机密，这一次的突破对于萨克森王国来说意义重大。

名师批注

叙述——标特格尔的细心与大胆尝试，让他发现了细瓷器的秘密。

这几个步骤都完成之后，接下来我们将黏土、沙子、细粉混合在一起，加适量水搅拌均匀，然后做成黏土团，将黏土团放在旋转盘上制成陶坯，再将陶坯进行干燥处理，这一系列操作都是相同的，没有什么特别之处。

这样说来烧制细瓷器也没那么难？那你就搞错了，细瓷器到这里的制作步骤的确和制作陶器的相同，但剩下的步骤是极其关键的。

名师批注

对比——细瓷器比陶器品质更高，来自它对于制作工艺的更高要求。

细瓷器和陶器不同，它需要经过两遍烧制。第一遍将温度控制好，用相对低温将陶坯烧制定型后上釉，再接着进行第二遍烧制。细瓷器成功的关键便在于这第二次烧制工序，这里面学问可大了。

第二遍的烧制需要极高的温度，这种温度甚至能把它烧化。而在烧制过程之中，可能会发生许多意想不到的情况。比如说你费尽心力制作的茶杯，由于耐受不了高温，发生了塌落、歪斜甚至变成了其他形状。为了减少这种情况发生，工人们通常会采用各种支架和木棒来固定茶杯，保持它的稳定尽量不发生倾斜。但即使如此小心翼翼，还是会有不计其数的残次品出现。

名师批注

举例子——在更严苛的制作条件下，制作失败是不可避免的。

除此之外，我们还需要掌握另一个关键点。那就是烧制细瓷器时，一定要记得擦掉它的底部紧挨着支架的那一圈釉。那是因为那圈釉一旦融化，就会将茶杯和支架粘在一起无法分开。

名师批注

设问——两次不同的温度造就不同的结果，这是匠人们在不断的实践中得来的经验。

烧制细瓷器的最大秘密就是温度，那第二次为什么要用高温呢？那是因为温度不够高的话，你烧出来的就是陶器，而不是细瓷器。

两者之间的区别是什么呢？

原来，经过高温烧制的细瓷器，会熔成一个没有孔隙的整体；而陶器的表面粗糙不平，如同瓦罐一般还有孔洞，只是表面上的一层釉不会让它渗水。加之，细瓷器烧制过程中，黏土颗粒受到强热，结合得非常紧密，形成了美丽的、半透明的状态，而陶器则不会。因此，你想迅速分辨出一个盘子是陶器还是细瓷器，只要将它对着强光一照便知。如果它透光，那便是细瓷器，如果透不出一点光亮，那便是陶器。

当然，还有一种更为简单直接的方式可以区别细瓷器和陶器。还记得我们说过细瓷器经过高温烤制时一定要记得擦掉底部的釉吗？如果你发现这个物品底部没有釉那就是细瓷器，如果有，那便是陶器了。

碗柜里面有没有用沙子制成的东西？

厨房里的东西真多呀。除了锅碗瓢盆还有什么呢？会不会有用沙子制作的东西呢？还真有。你是否在厨房的碗柜之中看见了玻璃杯、高脚杯和盐罐？你知道吗，这些东西虽然是由玻璃制成的，可和沙子有着密不可分的关系。因为玻璃就是沙子制成的。没错，就是小孩子们常玩的那种最普通的细沙。千万别小看这种沙子，不仅玻璃杯和高脚杯是用它们制成的，就连有些高耸入云的建筑物，都是由玻璃和钢铁建造而成的。

你听过伦敦的"玻璃大厦"吗？这是一座高耸入云、无比壮观的大楼，百年大树都能在它的大厅中生

读书笔记
用自己的话说一说，细瓷器和陶器有什么不同？

名师批注
第二人称——作者与读者进行对话，语调亲切，令人心生愉悦，即使是科普书也能读出趣味。

名师批注
设问——引出本篇说明的对象，即沙子制成的东西，并且设置悬念，激发读者阅读兴趣。

名师批注
夸张——百年大树居然能在大厅中自由生长，可见这幢大楼真如作者所说，壮观无比。

长，如同在大自然中一样自由自在。而这样一座历经风雨却屹立不倒的大厦，竟然也有一半的建筑材料是玻璃。

有没有硬的液体？

沙子是怎么变成玻璃的呢？

首先让我们来了解一些制作玻璃的步骤吧。将一定比例的沙子、碱和白垩（石灰岩的一种，主要成分是碳酸钙）倒入一口坩埚（一种耐火的黏土制成的锅，用以融化金属或其他物品），然后再将这些混合物放在一种特制的窑里进行烧制。

在坩埚中的沙子、碱和白垩遇到强热就会熔化在一起，这种熔合后像水样的溶液就是液态玻璃。不过这种水和真的水不一样，我们都知道，水在0℃以下才会逐渐变成固态，我们称之为冰，而常温的时候它是以液态而存在的。

读书笔记
请用自己的话说一说，水和玻璃在不同温度下的状态有什么不同？

但液态玻璃不一样。随着温度的下降，冷却后的液态玻璃会越来越黏稠。当温度在1200℃的时候，它类似于糖浆；温度在1000℃的时候，它能拉出细丝；温度在800℃的时候，它已经不太能流动，这黏稠的液体有点类似于沥青。随着温度的逐步降低，最终出现在你面前的是一个软块，这个软块变硬之后就是玻璃了。

名师批注
分类别——在不同的温度下，玻璃呈现出截然不同的状态，可见玻璃的变化对温度的要求非常高。

知晓这些原理，明白玻璃的各种状态之后，我们是否能判断出它熔化或者凝固所需的温度呢？很可惜，目前我们还无法判断，这大概就是人们为什么把玻璃称之为"硬的液体"的原因。

读书笔记
为什么玻璃会变成为"硬的液体"？

这种说法听起来十分荒唐，就像是在说白的煤炭、热的冰块。但是，这也是事实。如果玻璃不能熔化，不是"硬的液体"，那我们如何将它制作成形状各异的器皿呢？

玻璃器皿是怎样制作的？

我们都听说过"趁热打铁"，那你有听说过"趁热吹玻璃"吗？就是要在玻璃没变硬、变脆之前用力吹它。

读书笔记 •················
请从设问的角度赏析句子的妙处。

你知道吗，大多数的玻璃器皿是吹出来的，就好似小孩子吹肥皂泡一般，它们的原理相似，只不过吹玻璃是要用一根有着木头嘴的长铁管吹。在坩埚之中，等液态玻璃稍稍冷却到黏稠状时，工人们就用铁管的末端挑起一点玻璃液体用力吹，随着气流涌入，就会吹出一个玻璃泡。

名师批注

说明——吹玻璃的动作说起来十分简单，但是做起来需要长时间的经验积累，是不简单的。

这个玻璃泡就是制成杯子、瓶子，甚至窗户上玻璃片的基础。

让我们一起来看看玻璃瓶的制作过程。首先，工人们将玻璃泡放入一个瓶子形状的模具之中，当然这个模具必须是可拆卸的。然后，工人们再用管子往里面吹气，直到玻璃泡膨胀得塞满整个模具为止，要注意不能出现任何空隙，不然做出来的玻璃泡就要丢掉。这时的玻璃泡，会紧紧地挨着模具内壁，等冷却之后便可以轻易取下来，这样一个漂亮的玻璃瓶就出现在我们的眼前了。对了，取下玻璃之前别忘记把吹管拿出来。这件事情轻而易举，你只要用一根冷的铁丝划一下瓶颈便可以了。

这样一根简单的吹管，在技术纯熟的老师傅的手上，几乎可以吹出任何他想要的形状。

但吹玻璃是一件十分辛苦且危险的工作，它对人的身体有一定损害，因此，在大型的玻璃工厂里，吹玻璃的工作现在都是由机器——空气泵来做。

30 年前，聪明的人们发明了一种吹制玻璃瓶的机器，这种机器仅需两人就可以完成操作，而且效率非常高，一台机器可以抵得上 80 个吹玻璃的工人，一天可以吹出 2 万只玻璃瓶。

但是，把玻璃器皿吹出来只是玻璃加工的第一步，接下来还要使它冷却。

首先，我们来做一个实验，把一根玻璃棒用高温烧熔，然后将一滴玻璃液体滴入水中，你会发现，这滴玻璃液体变成了透明的玻璃珠。但是，这个玻璃珠由于急速冷却而很脆弱，只要你用手轻轻一掰，它就会碎成粉末。

因此，想要得到结实的玻璃，我们不能急速冷却它，而是要慢慢进行。

普通玻璃尚且如此，像高脚杯和小花瓶这种制作考究的玻璃器皿，可不是光冷却就行的，还需要进行打磨抛光。先待玻璃冷却，再用打磨石打磨，将它们磨成粗糙、失去光泽的平面，然后再用金刚砂或者其他的某种粉末将其抛光，这样就能使其表面光滑平整。

如果你觉得吹制、打磨、抛光的方法实在是太烦琐了，人们还研究出了另一种更简单又高效的方法，那就是浇铸法。之前我们说过生铁的浇铸过程，玻璃

名师批注

列数字——因为机器的发明，使得玻璃的生产效率有很大的提升，在其中我们也能看到时代的进步。

读书笔记

这颗玻璃珠有一个很美的名字，请查阅资料了解一下。

名师批注

说明——高脚杯和小花瓶的制作过程十分烦琐，所以哪怕是日常生活中的一个普通物品，我们也应该珍惜。

的浇铸也是同样的道理。此外，对于某些熔化之后，极其柔软的玻璃，我们也可以采用简单的压制法来得到想要的形状。

读书笔记 ••••••••
哪些玻璃制品是用压制法制作的呢？

想要区别压制法做的玻璃和经过打磨做的玻璃，方法很简单，打磨后的玻璃的角是圆润的，而压制法加工而成的玻璃的角是尖锐的，而且打磨的玻璃比压制工艺更加耗时耗力，所以它的价格会更贵一些。

那么，我们常看到的窗户上的玻璃也是吹来的吗？这种玻璃可不是吹来的，而是工人们先将玻璃液体浇铸成一大块厚的平板玻璃，经过抛光和切割等工序制成的大块平整的平面玻璃。

玻璃的种类繁多。有绿色的、无色的，还有最漂亮的水晶玻璃。绿色玻璃瓶是用普通的黄沙、碱和白垩混合制成。因为沙子中铁锈含量较高，所以呈现出黄色，那为什么最后变成了绿色呢？那是因为在玻璃窑中冷却的时候，黄色渐渐变成了绿色，这也充分说明玻璃中确实含有铁元素。

读书笔记 ••••••••
现代科技迅速发展之后，又有了哪些新的玻璃种类呢？

读书笔记 ••••••••
请查阅资料，说一说为什么黄色变为绿色说明玻璃中含有铁元素？

无色的玻璃则是用偏白的沙子制成。而水晶玻璃的制作材料要求就非常高了，它得用纯白无瑕的白沙，加入含钾元素的钾碱，还要用石灰石或者铅丹代替白垩，这样才能制造出了像钻石那样的水晶玻璃。

不会碎的玻璃

时代在发展，科技在进步。人们对玻璃的研究日益深入，发现用沙子或者石英熔化制成的器皿不仅比玻璃制品结实，还耐高温不易破碎，甚至烧红了直接扔进冷水里也不会出现一丝裂缝。

或许你会说，这个材料那么好，为什么不拿来大规模使用呢？一是因为成本太高，用石英加工玻璃造价太贵。二是要想使石英熔化就需要用到电炉，后者的电费耗量非常大。

虽然不能用石英，但是玻璃制品经过这么久的发展已经日新月异。比如说美国人发明了耐热玻璃，即使你把它加热到200℃后扔进冰水，它也不会爆炸；法国人则发明了夹层玻璃，这种玻璃是将几层玻璃用赛璐珞胶黏合而成，硬度非常强，可以挡住子弹的射击。

后来，苏联科学家还发明了一种"塑料"玻璃，它是由塑料做的，也具有不容易碎的特点。

读书笔记
请你大胆想象一下，未来的玻璃会是什么样子的？

名师批注
举例子——技术的发展，让玻璃的种类更加丰富多样，让人们在不同情境中有了更多的选择，这是科学技术的发展带给人们的欣慰。

名师精华赏析

美丽典雅的瓷器是用黏土做的？透明晶莹的高脚杯与不起眼的杯子有着不可分割的关系？听起来匪夷所思的事情，在这个小厨房里却丝毫不让人意外，这里总是充满着奇迹，所以见怪不怪了。这些奇迹正在等待一个真正关心它们的人去发现，而我们每个人都可以做这个探寻奇迹的人，只需要你从现在开始，多观察、多思考，你也可以找到新奇的未知之路。

积累与运用

好词

惬意 优渥 剔除 询问 穷困潦倒

整整齐齐 若隐若现 黯然失色 走火入魔

笑脸相迎 小心翼翼 高耸入云 屹立不倒

佳句

它们整整齐齐地排成一队，仿佛是要接受人们检阅的士兵。

它有着弯弯的手柄，精致小巧，杯子的描画呈现淡淡的红色，高贵典雅。杯体上的画面，有一条若隐若现缓缓流淌的小河，水边有一座磨坊，还有一个悠然自得的渔夫在垂钓，好不惬意。

这是一座高耸入云、无比壮观的大楼，百年大树都能在它的大厅中生长，如同在大自然中一样自由自在。

美文仿写

虽说厨具最重要的是它的实用性，但是它的美观在我们眼中也同样重要。作者向我们介绍的这些盘子、茶杯等的制作十分精美，生动细致的描写中展现了它们的美貌，更有拟人手法的运用让人感觉它们活了过来，读起来十分有趣。请你选择你最爱的一个盘子或杯子，描绘出它的形状外貌。

它们整整齐齐地排成一队，仿佛是要接受人们检阅的士兵。别看它们有的残缺不堪，但所有东西都是用上了白釉的粗瓷制作，拂去尘埃后闪闪发亮。这里面最漂亮的要数那只细瓷茶杯。它有着弯弯的手柄，精致小巧，杯子的描画呈现淡淡的红色，高贵典雅。杯体上的画面，有一条若隐若现缓缓流淌的小河，水边有一座磨坊，还有一个悠然自得的渔夫在垂钓，好不惬意。

_____

_____

_____

知识大宝藏

　　中国是瓷器的故乡，中国的历史也可以说是一部瓷器的发展史。在各个朝代，瓷器的制作都有自己的特色，一些技术甚至科技发达的现代也很难再复制，而我们作为中华儿女，对于瓷器的了解不能少。那现在有一个小小的考验，请你在以下表格中根据产地进行的瓷器分类，分别说一说它们的特点，并且找到一件代表作品，进行介绍。

瓷器产地分类	特点	代表作品
越窑		
邢窑		
汝窑		
钧窑		
定窑		
南宋官窑		
哥窑		
建窑		
景德镇窑		
宜兴窑		
德化窑		

第五站　真题演练

一、填空题

1. 世界上最早掌握烧制陶器技术的是＿＿＿＿＿＿。

2. 烧制陶器技术真正的黄金发展期，是在＿＿＿＿＿＿＿＿。

3. 迈森细瓷器的商标是＿＿＿＿＿＿＿＿，让人印象深刻。

4. 制作陶器的过程中，加入＿＿＿＿＿或者长石，整个黏土颗粒便会熔得更顺畅。

5. 细瓷器和陶器不同，它需要＿＿＿＿＿＿＿。

6. 当温度在＿＿＿＿＿℃的时候，液态玻璃类似于糖浆。

7. 玻璃又被称为"＿＿＿＿＿"。

8. ＿＿＿＿＿是制成杯子、瓶子，甚至窗户上玻璃片的基础。

9. 在玻璃窑中冷却的时候，黄色渐渐变成了绿色，说明玻璃中含有＿＿＿＿＿元素。

10. 无色的玻璃则是用＿＿＿＿＿＿＿制成。

二、简答题

1. 制造瓷器有哪些秘密？

2. 陶器和细瓷器之间有什么区别？

参考答案

一、填空题

1. 中国人

2. 15 世纪的明朝

3. 两把交叉的剑

4. 云母

5. 经过两遍烧制

6. 1200

7. 硬的液体

8. 玻璃泡

9. 铁

10. 偏白的沙子

二、简答题

1. 黏土；白沙、云母或长石；沉淀。

2. ①经过高温烧制的细瓷器，会熔合成一个没有孔隙的整体；而陶器的表面粗糙不平，如同瓦罐一般还有孔洞，只是表面上的一层釉不会让它渗水。②细瓷器烧制过程中，黏土颗粒受到强热，结合得非常紧密，形成了美丽的、半透明的状态，而陶器则不会。③物品底部没有釉那就是细瓷器，如果有那便是陶器了。

第六站

衣　柜

![名师导读]

　　衣食住行，占据了我们日常生活的绝大部分，厨房历险记已经结束，跟随作者的脚步，我们又来到衣柜中一探究竟。这四四方方的小柜子里，又装着哪些奇思妙想等着我们去发现呢？难道这也是一个魔法盒子，有通往魔法世界的门吗？太多的疑问，只有翻开书本才能解答，我们赶紧跟随作者一起去看一看吧！

最后一站

　　时间过得真快，转眼我们就来到了这次旅行的最后一站——衣柜。衣柜在每个家庭中都必不可少，而且衣柜的种类繁多，高大的衣柜可以占据房间的一半之多，可以轻松躲进六个人；有的衣柜却又矮小得出奇，连一个孩童也塞不下；衣柜的风格也各不一样，有的样式精致，格外华丽，柜子的门上还镶嵌着镜子，不过，很多衣柜的柜门也是普普通通的。

名师批注

举例子——在不同的家庭中，衣柜的样式也是不同的，这代表了每个家庭的性格，能够看出每个家庭的不同。

　　映入我们眼帘的这个衣柜，它有着恰到好处的设计——衣柜里有多个格子，分别放着衬衫和外衣。柜门上还镶有一面镜子，尺寸大小合适。在我们了解衣柜的内部构造前，不妨先从柜门上镶嵌的镜子开始探索其中的奥秘。

镜子的历史

在古代没有玻璃，那他们使用的镜子是由什么制造的呢？

其实在玻璃没有被发明出来之前，用来制作镜子的材料通常是银或者铜锡合金，但这些材质的镜子接触空气不久就会黯然失色。

为了解决这个问题，有人开始尝试在金属材质的表面覆盖上一层玻璃，将它与空气隔绝开来，这和现在人们用玻璃材质的相框来保存照片的道理是一样的。后来又出现了用水银溶锡做成的玻璃，它的制作方式是：先在玻璃上覆盖一层锡箔，然后用水银浇上去，锡箔在遇到水银后很快就溶解，还会生成一种牢牢黏附于玻璃之上的溶液，在锡完全被水银溶解掉后，最后再小心翼翼地将玻璃上多余的水银倾倒掉，这就制成了一面反光效果甚好的镜子啦。但这种方法特别费时，几乎要用一个月的时间才能做好，而且水银是一种有毒的物质，操作时需要十分谨慎和小心。

后来，一位名叫冯·李比希的科学家，发明出了更好的制作玻璃镜子的方法。他先用一种特殊的溶液浇在玻璃表面，溶液会慢慢地沉淀出银，再过半个小时，沉淀出来的银会牢牢地覆盖住玻璃表面，并形成一层泛着亮光的薄膜，最后为保护薄膜不被损伤，就在薄膜外面刷上一层油漆，一块镜子就做好了。

这种制作方法让工人不用再和含有剧毒的水银直接接触了，而且制作出来的镜子也愈加清晰和有光

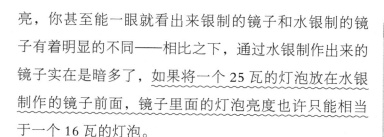

亮，你甚至能一眼就看出来银制的镜子和水银制的镜子有着明显的不同——相比之下，通过水银制作出来的镜子实在是暗多了，如果将一个 25 瓦的灯泡放在水银制作的镜子前面，镜子里面的灯泡亮度也许只能相当于一个 16 瓦的灯泡。

但是这种制作方法并没有被大规模地推广，因为这项技术只掌握在少数人的手里。在近 300 年之前，镜子制造的方法只掌握在威尼斯人的手里，他们不仅对制作镜子的方法秘而不宣，还制定了严苛的法律条文，若是有人胆敢泄露秘密将会被处以死刑。威尼斯政府将所有的玻璃制造厂都搬去了穆拉诺岛，并禁止一切外国人靠近。

穆拉诺岛盛名在外，威尼斯的镜子制造最热门的时期，有 40 多家大大小小的工厂聚集在穆拉诺岛上，在岛上工作的工人也达到了几千人之多。仅法国一个国家，每年从这里进口的镜子就达到了 200 箱。

除了生产镜子，穆拉诺岛还生产各种精美的玻璃器皿，它们是由无色和彩色玻璃制造出来的，更有令人惊叹不已的酒杯和花瓶，连花瓣、叶片和茎干这些细节都惟妙惟肖，完全看不出来是由又硬又脆的玻璃制成的。而玻璃工匠也十分受人们的尊敬，在穆拉诺岛上的玻璃工匠们得到的荣耀，比起名门贵族也是有过之而无不及。

人们不仅对他们十分尊敬，就连掌管岛上议会的成员，也都是由玻璃工匠们选举出来的，甚至连人人畏惧的威斯尼警察也没有权力对他们进行管理。玻璃工匠们几乎得到了一切，但那是以失去自由为代价

名师批注

类比——通过 25 瓦与 16 瓦灯泡亮度的对比，很好地说明了两种制镜方法之间的不同，形象生动且通俗易懂。

读书笔记

为什么威尼斯政府要这样做？

名师批注

列数字——威尼斯垄断了镜子的生产，各个国家每年都要在威尼斯订购一大批镜子，以满足国内自身的需求。

名师批注

侧面烘托——威尼斯警察对着这些工匠都束手无策，可见这些工匠在威尼斯的地位之高。

的。可是，世上没有不透风的墙，威尼斯人的保密工作尽管做得十分严格，但这个秘密最终还是被人知道了。

有一次，法国驻威尼斯的大使收到一封法国掌权大臣柯尔柏寄来的棘手的信件。彼时，法国马上要新建一家皇家镜子制造工厂，他命令大使不论付出什么代价，必须要给他找到会制造镜子的工匠。由于当时制造镜子的机器并未发明，所有工作都是由人工来做，而所谓的制造工厂，也是由大量技术工人组成的手工工场，只不过比小规模的工厂人数多罢了。

读书笔记
从中可以看出，威尼斯当时的工业生产有什么特点？

但是大使非常清楚，想将穆拉诺岛镜子工厂里的工人抢走，几乎是不可能的。因为威尼斯的法律有明文规定，玻璃工匠如若出国将其技艺泄露给他国，是死罪。没有一个工人愿意拿自己的性命去冒险，而且他虽然是法国驻威尼斯的大使，但也必须遵守当地的法律。那要怎样才能将玻璃工匠秘密转移出国呢？这让大使伤透了脑筋。

名师批注
环境描写——威尼斯是水上城市，所有交通基本依靠水路，为下文使者坐船进出做铺垫。

威斯尼作为一座水上城市，所有的房屋都依河而建。某个晚上，法国大使馆坐落的运河边悄然停靠了一艘平底船，从这艘覆有顶篷的船上走下来一个身穿黑色斗篷、身材矮小的男子，这个身形矮壮的男子警惕地四下看看后径直走入了大使馆，直到几个小时后他的身影才从大使馆出来返回船上。

从这以后，这个身影每晚都会趁着夜色出入法国大使馆，每次他出现时，大使馆总是紧闭着门窗，没人知道他们在密谈着什么，这位神秘的访客来自穆拉诺岛，他在岛上开了一家杂货店。

读书笔记
这个人进入法国大使馆可能是在谈些什么？

　　柯尔柏在一两个星期后收到了法国驻威尼斯大使送来的密信，他从信中得知，已有四名玻璃工匠被说服，逃亡去法国的各项准备也都安排好了，让大臣做好接应的工作。几个星期后，一艘船在深夜悄然停靠在了穆拉诺岛，船上载着全副武装的二十四人，只见杂货店的老板在夜色中带着四个人赶了过来，他和船上的人略做交谈后，这艘船便载上了这四个人，朝着法国进发了。

　　目送着船桨翻起的水花消失在了黑夜里，杂货店的老板穿着他的斗篷便迫不及待地赶回了家，回到家后，一个口袋从他的斗篷里被掏了出来，里面是他获得的报酬，足足有 2000 立弗尔（古代法国的银币）。

读书笔记 •·················
杂货店老板是一个
什么样的人？

　　直到这四名工匠进入了巴黎的工场里，开始忙着制造镜子了，威尼斯人才发现有玻璃工匠逃走了。威尼斯政府到处打听消息，终于让他们知道法国人最近建造了一座镜子加工厂，他们猜测这几名工人去了法国，所以写信给威尼斯驻巴黎的大使，让他帮忙查明真相。可这四名工人都小心翼翼地隐藏了自己的所在，威尼斯驻巴黎的大使费尽了心力，也无法得到关于他们所在之处的一点信息。

　　随着法国镜子加工厂的制作热火朝天，他们需要更多的玻璃工匠，于是在不久之后，又有四名玻璃工匠也逃到了法国。威尼斯政府这次更着急了，派去了新的驻法大使——基斯丁尼亚尼，让他尽快查到法国皇家制造厂的具体位置。

　　基斯丁尼亚尼到任后，经过昼夜不停的调查和探访，终于得知了逃亡者的踪迹，他想尽办法将他们说

读书笔记 •·················
为什么会有几名工
匠又选择回到了威
尼斯？

服，让他们来到了威尼斯大使馆，并成功地说服了其中几名工匠回到了威尼斯。

柯尔柏知道这些消息后，立马派人将这些剩下来的逃亡工匠的家属们成功地营救出来，让他们逃脱了威尼斯政府的抓捕。为了笼络住这些剩下来的工人，柯尔柏丝毫不敢松懈，想尽一切办法给玻璃工匠们非常优渥的待遇，连他们开出来的各种苛刻要求都会尽可能地满足，只差没让他们住进皇宫里了。

后来尽管基斯丁尼亚尼再次找到这些工人，向他们承诺不会追究他们的法律责任，愿意回到威尼斯的工人每人还会得到 5000 杜克脱（古代威尼斯金币）的补偿。但是这些玻璃工匠们也不为所动，没有什么能比得上他们现在在巴黎过着的纸醉金迷的生活，那是他们辛苦几辈子也挣不回来的。从逃亡的那一刻起，法律已经被他们抛在脑后了。他们明确地拒绝了基斯丁尼亚尼的条件，殊不知"意外"已经在向他们悄悄靠近。

这些工匠来到法国一年半后的 1667 年的 1 月，令人害怕的事情发生了，两名玻璃工匠在三周内先后中毒身亡，其中一名是这些人中技术最为精湛的，另一名则是擅长吹玻璃的工匠。还有威尼斯那边两名试图逃亡去法国的工匠被抓捕并判处死刑。

这一连串的事情，让身在巴黎皇家制造厂内的威尼斯工匠们惶恐不安，他们成日担惊受怕，只好向大使馆请求回国。此时镜子制造的技艺已经被法国人学会了，柯尔柏也不愿再用高薪来劝留这些威尼斯的工匠们了，他们走了，还可以省下好大一笔人工开销，

读书笔记
如果你是这几位工匠中的一个，你会怎样选择？为什么？

读书笔记
造成工匠死亡的凶手会是谁？他为什么要这样做？

名师批注
叙述——柯尔柏此时转变态度是因为威尼斯工匠对他来说已经没有利用价值，与之前的讨好截然不同，这是人性中的可恶之处。

所以柯尔柏同意了他们的请求。

读书笔记 ·················
你对威尼斯工匠们的故事有什么样的感触?

巴黎的皇家制造厂依旧井然有序地进行着生产，后来的法国人用上了自己制造的镜子，在宫廷里的妇女们梳妆打扮的时候都有了精美的玻璃镜子，但那些逃去法国的威尼斯工匠们从此再无人记起。

我们的衣柜里有些什么？

将我们衣柜的门打开，一起来看看衣柜里有一些什么吧！

你看，衣柜里最多的就是衣服了，那你知道关于它们，有什么秘密吗？现在有三个问题，请你想一想它们的答案是什么。

问题一：还记得在旅行伊始，问过你的那几个问题吗？你知道垫上一块湿布来熨烫呢料衣服是什么原因吗？

问题二：燃烧的火炉会使空气升温，给人以温暖，但穿上皮袄也能起到同样的效果是为什么呢？

问题三：穿三件衬衫和穿一件三倍厚的衬衫相比，哪一种更暖和呢？

名师批注
总提下文——具体概括了下文讨论的三个问题，吸引读者阅读兴趣，引发读者的思考。

为什么穿着皮袄能使人感觉到温暖？

在回答问题之前，让我们认真思考，衣服具有保暖的功效，比如皮袄，是因为衣服本身让人感觉温暖吗？

答案是否定的，因为皮袄是冰冷的，是人的身体温暖了它，而不是它使人的身体变得温暖。是不是觉得很不可思议呢？人的身体才是一个大火炉呢。

那是什么让人体产生温暖呢？

比喻——将人体的身体比作火炉，食物比作木柴，形象生动地说明了人体如何产生热量以及保暖的运作机制，为下文做铺垫。

读书笔记

在冬天，你家会用什么方法来保存热量呢？

读书笔记

请画出衣服帮助人类保暖的示意图。

如果说将人体的身体比作一个火炉，那么食物就是让炉子烧得更旺的木柴，食物进入人体消化吸收后会产生热量，让人觉得温暖。

那要怎么将人体产生的热量保存起来呢？我们知道在寒冷的冬天，聪明的人类修建了厚厚的墙壁，给窗户安装了厚厚的双层玻璃，还在门上加了一层毛毡，这些措施都能很好地阻隔室外的冷空气，将房屋里的热量保存住。

人类穿衣服的目的其实也是为了将人体与冷空气阻隔开，从而保存身体产生的热量。衣服吸收了人体产生的热量后变得温暖，并且将身体产生的热量保留在身体的周围，虽然无法完全避免热量的散发，但可以大大减缓人体热量散发的速度。

可以这样说，代替我们忍受寒冷的其实是穿在身上的衣服。

穿三件衬衫暖和，还是穿一件三倍厚的衬衫暖和？

读书笔记

说一说，为什么穿三件衬衫会更暖和？

相信这个问题你已经找到了答案，那肯定是穿三件衬衫会更暖和。

保暖最关键的是看衬衫之间空气的多少。但是空气的导热性很差，只有当衬衫之间的空气越多的时候，才能更多地保留人体产生的热量，让身体觉得更温暖。

既然知道了衬衫之间的空气才是真正保暖的衣服，那么"空气衣服"自然是越厚越好，三件衬衫相当于三件"空气衣服"，而单单的一件衬衫，即使它有三倍厚，也只相当于一件"空气衣服"，所以三件衣服肯定要比一件衣服更具有保暖性。

有没有由空气筑成的墙壁？

在北方，冬天温度经常是零下一二十摄氏度，所以北方的房子都会安装双层的玻璃，这样会让房屋内十分暖和，因为如果安装了双层玻璃，就相当于在两层玻璃之间加上了一层"空气墙壁"，不仅能很好地隔绝室外的冷空气，室内热量散发的速度也会减缓许多。所以，双层玻璃的作用可以看作是身体穿了两件衬衫。

"空气墙壁"相比于实心砖墙壁的保暖效果更好，这也得到了科学家们的研究证实，科学家们还据此发明出了一种空心砖，你可以把它想象成一个掏去了芯的面包。

读书笔记 ··············
请从类比的角度分析这个句子的妙处。

空心砖建造的房屋为什么比实心砖更具有保暖功效呢？因为墙壁的一半几乎都是由空气筑成的，所以空心砖建造的房屋往往会比实心砖的房屋更暖和。

为什么夏天穿毛呢衣服不好？

我们都知道，在冬季，羊毛的保暖效果是众多衣料中数一数二的。但为什么在炎热的夏季，没有人穿它呢？难道仅仅只是因为羊毛太具有保暖性，穿着会很热的缘故吗？

读书笔记 ··············
为什么没有人在夏天穿毛呢衣服呢？

这仅仅只是一个原因，与此同时还有其他原因，那便是羊毛材质导致它干起来非常缓慢，夏季穿它不利于我们身体汗液的排出，穿在身上自然会有潮湿粘腻的不适感。

而棉麻材质的衣服透气性就很好，它们能较快地恢复干爽，穿起来更舒服，所以在炎热的夏季，人们大多都会选择穿棉麻材质做的衣服。

人为什么要穿衬衫？

在春秋季里，我们都需要穿一件外套来保暖，虽说外套的保暖性能很出色，但身体周围的空气层并不是很厚，光着身子穿外套的话，往往并不能很好地保暖，还会觉得很冷。

但我们若先穿上一层衬衫，这就相当于多了一层"空气衣服"，保暖效果会更好。所以我们在穿外套前都会穿一件衬衫，除了保暖，衬衫也比外套更方便经常换洗。特别是在冬季，我们的外套既大又厚实，更加难以清洗啦！

前面说了羊毛的保暖性非常好，在冬季我们的大衣很多都是用羊毛制成的。但是你知道吗？羊毛的清洗有很多要注意的地方，比如不能用水去煮，因为它无法耐受高温。

若你在显微镜下观察，你会发现羊毛纤维上有很多细小的鳞毛，高温加热过的羊毛会纠缠成为一团杂乱的毛毡，因为纤维上很多细小的鳞片会相互纠缠在一起。而相比于表面覆有鳞片的羊毛纤维，棉麻纤维的表面就光滑多了，也更能耐受高温。

所以说，毛呢料制作的衣物不能用高温来烘干，也不能进行熨烫。如果是必须要熨烫的话，就要垫上一块打湿过的布。而衬衫通常都是由棉麻织物制成的，能更好地进行洗烘和熨烫，这也是要在毛呢料的外套里穿上衬衫的原因。

读书笔记 •
为什么穿上一层衬衫相当于多了一层"空气衣服"？

名师批注
举例子——羊毛在清洗时有许多需要注意的地方，这是我们在生活中要学会的常识。

读书笔记 •
这块打湿过的布起到了什么作用？

名师精华赏析

衣柜中虽然没有通往魔法世界的门，但是有丰富的科学知识给我们带来惊喜。原来镜子还有这么曲折的故事，原来穿衣服也这么有讲究，原来每一件小事，只要认真对待，就能从其中找到趣味，成就我们更加美好的生活。生活如此可爱，我们怎能不珍惜呢？

积累与运用

好词

镶嵌　遵循　黏附　悄然　伊始　优渥

必不可少　恰到好处　迫不及待　热火朝天　昼夜不停

担惊受怕　不可思议　数一数二　井然有序　有过之而无不及

佳句

如果将一个 25 瓦的灯泡放在水银制作的镜子前面，镜子里面的灯泡亮度也许只能相当于一个 16 瓦的灯泡。

在北方，冬天温度经常是零下一二十摄氏度，所以北方的房子都会安装双层的玻璃，这样会让房屋内十分暖和，因为如果安装了双层玻璃，就相当于在两层玻璃之间加上了一层"空气墙壁"，不仅能很好地隔绝室外的冷空气，室内热量散发的速度也会减缓许多。

美文仿写

因为制作镜子的方法不得外传，威尼斯工匠的地位在当时社会十分崇高，这一点，从作者的正面描述与侧面烘托都可见一斑，也令人更加信服。在我们的生活中，也有许多的事情，从侧面来论证可以增加我们观点的可信度。请你仿照一下文段，选择生活的一个场景，通过侧面描写来体现人物特点。

　　而玻璃工匠也十分受人们的尊敬，在穆拉诺岛上的玻璃工匠们得到的荣耀，比起名门贵族也是有过之而无不及。人们不仅对他们十分尊敬，就连掌管岛上议会的成员，也都是由玻璃工匠们选举出来的，甚至连人人畏惧的威斯尼警察也没有权力对他们进行管理。玻璃工匠们几乎得到了一切，但那是以失去自由为代价的。

_____

_____

_____

_____

知识大宝藏

　　衣服是我们每个人都必不可少的用品，也是我们展现个性的一大途径，但是穿衣服也不是随便的事。你知道四季应该穿什么材质的衣服才会更舒服吗？请你将下文的内容进行连线，并且说一说你为什么觉得这样穿更好。

棉麻面料　　　　　冬天

丝质面料　　　　　秋天

羊毛面料　　　　　夏天

羽绒面料　　　　　春天

第六站　真题演练

一、填空题

1. 在近 300 年之前，镜子制造的方法只掌握在_____的手里。

2. 威尼斯政府将所有的玻璃制造厂都搬去了_____，并禁止一切外国人靠近。

3. 人类穿衣服的目的其实也是为了将人体与_____阻隔开，从而保存住身体产生的热量。

4. 三件衬衫相当于三件"_____"。

5. _____建造的房屋往往会比实心砖的房屋更暖和。

6. 在炎热的夏季，人们大多都会选择穿_____做的衣服。

7. 在冬季，我们的大衣很多都是用_____制成的。

8. 如果是必须要熨烫毛呢料制作的衣物的话，就要垫上一块_____。

9. 衬衫通常都是由_____制作而成的。

10. _____的作用可以看作是身体穿了两件衬衫。

二、简答题

1. 为什么人们夏天不穿毛呢衣服？

2. 现在人们穿衣服越来越追求时尚，以彰显自己的个性。如果由你来为自己设计服装，你会怎样设计呢？请大胆想象，并且完成自己的设计图。

参考答案

一、填空题

1. 威尼斯人

2. 穆拉诺岛

3. 冷空气

4. 空气衣服

5. 空心砖

6. 棉麻材质

7. 羊毛

8. 打湿过的布

9. 棉麻织物

10. 双层玻璃

二、简答题

1. 羊毛具有保暖性，穿着会很热；羊毛材质导致它干起来非常缓慢，夏季穿不利于我们身体汗液的排出，穿在身上自然会有潮湿粘腻的不适感。

2. 开放性答题。

附 录

动物们怎样发泄胸中的怒气？

我们人类对于自己的行为非常清楚，但是对于动物的行为就有点摸不着头脑，比如生气。我们人类可以通过摔东西、哭泣、呼喊、运动等方式来发泄心中的怒气，那么你知道动物在吵架、生气的时候如何发泄胸中的怒气吗？

动物主要通过转移目标的方式来发泄怒火。当两只动物吵架或者争夺食物时，两方会产生敌对的情绪，这种情绪产生后，两只动物就会互相攻击。而在这个生气的过程中，有些动物会压抑内心的愤怒，做出一些莫名其妙的动作，将感情转移到其他毫无关联的东西上，这种方式称为动物的"转移行为"或者"推诿行为"。

比如澳洲的斑雀，会通过许多小动作来转移心中的怒气，如抓头、伸腰、抖动身体、打哈欠、整理羽毛、取食等；大袋鼠在即将发生冲突时，会突然停下来整理体毛，通过这个转移行为来调整复杂的心情；凶猛的鱼在进行恐吓攻击时，会突然张大嘴巴，或者用尾部去掘沙。如果你仔细观察，会发现这一系列的转移行为其实都是动物在发泄胸中的怒气。

动物的臭气有什么作用？

在这个奇妙的大千世界，生活着千差万别、功能各异的动物，它们各自拥有奇特的生活习性、交配方式和防御本领，把自然界装饰得更加美妙多姿，也令科学家着迷。在动物世界的奇异功能中，释放臭气就是一种让人赞叹的本领。动物们释放臭气是干什么呢？让我们走进神奇的动物世界，去了解一下不同动物的不同本领吧。

释放臭气最典型的要数绰号为"花大姐"的瓢虫和别号为"臭娘娘"的椿象，它们的臭气都是为了攻击和防御。瓢虫的臭腺藏在三对足的关节处，只要一遇到敌人，瓢虫就会条件反射地"打开"臭腺放出一种黄色液体，这种液体奇臭无比，"敌人"根本无法靠近，只能闻臭而逃。臭娘娘椿象身上也有一种特殊的臭腺，它的开口在腹部，当臭娘娘受到惊扰时，就会散发出一种臭虫酸，使周围臭不可闻。这种臭气也是为了保护自己的幼虫，椿象在生儿育女的时候，会将这种臭虫酸释放在幼虫周围，从而形成一个"臭气圈"，这样就能保护自己的孩子不被其他动物攻击了。

外表美丽的农林益鸟——戴胜鸟也有一套"臭功夫"，它的臭腺藏在身体尾部，能够分泌一种恶臭难闻的黑棕色油状液体，所以人们也称戴胜为"臭姑姑"。它的"臭功夫"在平时会掩藏起来，到了繁殖的时候，鸟妈妈为了使孩子安全出壳，就会释放臭气，弄得巢中又脏又臭。这样，即使有些动物想要来偷吃鸟蛋，但是面对如此臭气四溢的环境，也只好退而远之了。

除此之外，动物世界中还有一些臭名远扬的种类，比如红狐、臭鼬、黄鼠狼和鲜有人知的美洲狮。它们释放臭气，有的是为了防御敌人，有的是为了寻找配偶，它们通过臭味来吸引异性，联系感情，可见动物界真的是奇妙无比，这些奇异功能真让人意想不到呢！

动物也有"方言"吗？

人们曾经认为，各地的同个品种的动物的叫声是一样的。后来，动物学家研究发现，动物也有着地地道道的方言。研究海豚语言的日本科学家黑木敏郎认为，生活在不同地区的海豚的语言是不同的，比如，生活在大西洋的关东海豚的语言类型有 17 种，而生活在太平洋的只有 16 种语言类型，并且有趣的是，它们之间有 9 种通用语言，其他的是各自所特有，这和人类语言很相似，有着相通的普通话，又有着各自的家乡话。

动物学家还发现，生活在南极洲的海豹也有不同的方言，生活在南极半岛海域与生活在麦克默多海峡附近的威德尔海豹的叫声是不同的。除了海兽，我们平时听到的叽叽喳喳的鸟叫声也有方言。英国的鸟类学家兰斯·沃克曼用声谱仪记录了英国不同地区知更鸟的"歌唱声"，这些同一类型的鸟的鸣叫声有着不同的旋律和音调呢！

为什么水母会蜇人？

在海边度假游泳的时候，经常有人会被水母蜇到，让人感觉像触电一样，然后又痛又痒。水母是一种非常低等的动物，它的身体 95%以上都是水分，漂浮在海面上，无色透明，看起来似乎很柔弱。但是这都是水母展示给人类的表象，如果你去触摸它，它会立马"攻击"，被蜇的那一块儿立马又红又肿，疼痛难忍。

为什么乌贼要喷"墨汁"呢？

乌贼是一种软体动物，容易受到海里其他凶猛鱼类的攻击，这个时候，"墨汁"就成为保护自己的武器。平时，乌贼悠闲地遨游在大海里，以小鱼小虾为生，一旦遇到有攻击力的敌人，它就会将墨囊里的"墨汁"喷出去，周围的海水立刻乌黑一片，这个时候它就以箭一般的速度逃之夭夭。并且它的"墨汁"还有毒素，能够在短时间内麻痹敌人。

乌贼肚子里的"墨汁"并不是随时都能用，因为它蓄积一囊"墨汁"需要很长一段时间，只有到万分危急的时候，它才会喷出"墨汁"，安全逃走。

许多动物都冬眠，而海参为什么要夏眠？

你知道吗？这个世上除了会冬眠的动物，还有动物会夏眠呢！比如生活在浅海之中的海参，一到夏天，它就会背面朝天，不吃不动，整个身体变硬，一睡就是整个夏天，等到秋天后才会苏醒过来活动。这是为什么呢？

原来，海参主要以小鱼小虾等海底生物为食，它有一个特点，对温度很敏感，一般生活在水温 20℃ 以下的水里。

当海底生物多的时候，它过着舒舒服服的日子，但是海底的生物有着属于自己的生活习惯，会随着海水温度的变化而变化。白天的时候，阳光照射，海面的水变暖，它们就会浮到水面享受阳光；傍晚的时候，海面水变冷，它们就会退回海底。

所以，一到夏天，海面浅层的海水受到阳光照射温度变高，这个时候，海底生物都会浮到温度较高的海面，但是海参只能生活在20℃以下，所以它就会自动向温度较低的海底迁移。迁移到新的地方后，那里缺乏小生物，没有东西吃的海参就只能降低能耗进入夏眠状态，这也是海参为了适应生存环境而养成的一种生活习惯。

蜻蜓为什么要"点水"？

唐代著名诗人杜甫写了一首诗："穿花蛱蝶深深见，点水蜻蜓款款飞。"可见人们早就见到蜻蜓点水的现象了，夏天的傍晚，蜻蜓有时在水面上飞翔，像一架小的直升机，时而盘旋在水面上空，时而俯冲下来尾尖紧贴水面，一点一点用尾尖点水，那么蜻蜓为什么要点水呢？

其实这是雌蜻蜓产卵的一种行为。蜻蜓是生活在陆地上的昆虫，它和其他昆虫不一样，整日在空中翱翔，但是它的幼虫要生活在水中。蜻蜓的幼虫我们称其为"水虿"，有三对脚，但是没有翅膀，不能飞行，它的下唇很长，可以自由伸缩，平时在休息的时候，下唇会将口全部遮盖起来，顶端有钳，可以用来捕捉池塘里的蜉蝣、摇蚊等幼虫。

水虿要在水里过很久的爬行生活，等到一年或者几年成熟后，它就会从水草上爬出水面，脱皮后变成蜻蜓，在空中轻盈地舞蹈。有趣的是，雌蜻蜓在水面点水产卵的时候，雄蜻蜓会用尾部钩住雌蜻蜓的头部，以防"妻子"一不小心掉进水里，所以，人们也称雄蜻蜓为"助产士"。

白蚁是不是蚂蚁？

在生活当中，我们经常会碰到白色或淡黄色的长得像蚂蚁一样的昆虫，它叫白蚁。人们经常会将白蚁和蚂蚁混在一起，其实，白蚁和蚂蚁之间一点亲缘关系也没有，它们是两类完全不同的昆虫。

两者的外形虽然相似，但还是有很多不同。颜色上，白蚁的身体多为淡白色或灰白色，呈透明状，它的胸部和腹部之间区分不明显，它的触角像念珠，有翅膀的成年白蚁翅膀大小长度都相等，并且翅膀的长度超过身体的长度。而蚂蚁的身体大多是黄色、褐色、黑色或橘红色，它有明显的腰部，胸部和腹部之间有明显的细腰节，有翅膀的成年蚂蚁前翅大，后翅小，长度也不相等。

白蚁和蚂蚁在类型上也不同。白蚁属于较低级的半变态昆虫，在它的一生中，只有三个阶段：卵、幼虫、成虫，没有蛹期，也是至今为止地球上最古老的社会性昆虫。而蚂蚁的一生要经历四个阶段：卵、幼虫、蛹、成虫，属于完全变态昆虫。

在食性上，白蚁主要吃木材和含纤维素的东西，一般不贮藏粮食；而蚂蚁吃的东西很多，动物性、植物性的都吃，比如米、肉、树叶等，它们经常会团结一致地搬运食物并贮藏起来。

在生活习性上，白蚁害怕见光，所以它们活动时一般要筑泥路躲光，而蚂蚁不怕见光，它们在路边和石缝边都可以"转悠"。

那么，白蚁和蚂蚁之间既然都有一个"蚁"字，就肯定有相似之处，它们最大的相同点就是习惯群居生活，群体虽形态各异，但是分工十分明确，靠团队力量生存。

苍蝇为什么能立在垂直光滑的玻璃面上？

人仅仅在光滑的水平地方走，比如冬天结冰的地上，都常常会摔倒，而苍蝇在光滑垂直的玻璃上，不但不会摔落，还能自由地走来走去。苍蝇为什么具有这个本领呢？

其实，苍蝇能停立在垂直的玻璃面上，是因为有一双奇特的脚。在它的六只脚上，每只都有一个爪，爪看上去都是毛茸茸的。原来，在爪的基部有爪垫盘，它是一个袋状结构，内部充血，下部凹陷，就像一个真空杯，具有吸附作用，能够吸附在光滑的玻璃上。另外，苍蝇在玻璃上爬行时，其脚部的茸毛尖处还能分泌一种液体，这种液体的成分是中性脂质物，具有吸附力。

科学家曾经做了一次实验来检测这种分泌物的黏附力。科学家将玻璃片浸上乙烷过滤液，然后让苍蝇在这种玻璃上爬行，结果发现苍蝇行走时有点打滑，并且它的黏附力仅仅只有有中性脂质物分泌时的 1/10。这也表明了，苍蝇脚部茸毛分泌的这种物质具有强大的黏附力，能够将苍蝇稳稳地"钉"在玻璃上而不滑落。

苍蝇接触玻璃表面的茸毛越多，也站得越稳，也就是说，苍蝇在玻璃上站立的脚越多，黏附力就越强，更能自由地在玻璃上行走。

蝴蝶翅膀上的花纹有什么作用？

蝴蝶有一件美丽的外衣，就是那两对美丽鲜艳带有花纹的翅膀，它们在天空中翩翩起舞，闪烁着美丽多彩的光芒，也被人们称为"会飞的花朵"。蝴蝶翅膀上的美丽花纹除了能够展示美，还有什么作用呢？

蝴蝶的漂亮外衣对人们来说鲜艳美丽，是一种美的享受，对于它自身来说，其实是一种保护自我免遭天敌捕食的手段。比如有些蝴蝶的翅膀颜色像树皮或花瓣，和蝴蝶栖息地的颜色很像，这样就不容易被敌人发现，这称为隐蔽色或保护色。有的燕尾蝶背上有两个类似大眼睛的图案，有的则是红色或黄色的鲜艳条纹，主要用来吓唬敌人、警告敌人："我很危险，不要过来哟。"

有的蝴蝶，比如枯叶蝶，它的花纹长得很像植物的叶脉和叶柄，这种模拟植物某部分的翅膀叫作拟态。有的无毒的蝴蝶还会模仿有毒蝴蝶的翅膀花纹，那些捕食者看了就会敬而远之，起到了保护自己的作用。

当然，不同种类的蝴蝶有不同的花纹，这样可以使同类的雌雄蝴蝶相互认识，有助于吸引异性。

小海马为什么是父亲生的？

在色彩缤纷的海底世界里，有一种奇怪的动物，它身材短小，体长只有 10 厘米，它的头和马头很相似，人们把它称为"海马"。海马的尾部很长，尾上有环节，能够自由伸屈，它的背鳍像扇子一样扇动，以保持身体平衡。它游泳时是直立着的，最与众不同的是，雄海马担负着生育小海马的任务。为什么其他动物都是母亲生的，而小海马是父亲生的呢？

在雄海马的腹部下面，有一个袋子，叫作育儿袋，育儿袋前面有一个小孔，而雌海马没有育儿袋。到了繁殖季节，雌海马就会把几百万粒卵产在雄海马育儿袋的小孔里，卵在育儿袋里受精，育儿袋会提供胚胎发育所需要的营养。淘气的小海马在爸爸的育儿袋里不断成长，等到幼海马发育完成，雄海马就要分娩了，雄海马在生完小海马后，会疲惫地沉到海底侧卧着身体，静静地休养。

癞蛤蟆有毒吗？

癞蛤蟆的学名叫蟾蜍，在很多人看来它是一种非常可怕的动物，它的皮肤灰暗，并且身上有很多凸起的疙瘩，因此很多人不敢去触碰它。

其实癞蛤蟆是农田除害的能手，它默默无闻地工作着。据统计，它一夜吃掉的害虫比青蛙多好几倍。虽然它的外貌丑陋，皮肤灰暗，全身疙瘩，但也正是这些帮助它逃脱敌人的攻击。癞蛤蟆一般生活在比较阴暗潮湿的地面或者泥土上，它皮肤的颜色和泥土很像，不容易被敌害发现，也便于它捕捉各种昆虫等小动物。

如果癞蛤蟆遭遇敌害，它在和"敌人"进行抗争的时候，就会使出它的杀手锏——释放毒腺。它头部的背面皮肤上，有两块长圆形的凸起，称为耳后腺，能够分泌一种乳白色的浆液。除此之外，癞蛤蟆皮肤上那些让人害怕的疙瘩也有很大的用处，它由许多皮肤腺组成，有一种腺体能够分泌黏液保持皮肤湿润，还有一种腺体也能分泌乳白色浆液。这些乳白色液体有毒，受到侵害时，癞蛤蟆能用它进行自卫。那么癞蛤蟆的毒液对人体有危害吗？

其实，如果你不是有意伤害癞蛤蟆，它是不会释放毒液攻击你的。另外，即使它放出毒液，这些毒液的毒性很小，对人体不起什么作用。如果这些毒液喷到手上或皮肤上，也是没有大问题的，如果不小心弄到眼睛里，会有刺痛的感觉，但也不用担心，只需要用水清洗，就能将毒液洗去，不会危害身体。但是值得注意的是，癞蛤蟆的皮肤，也就是那些疙瘩和卵是不能吃的，人吃了会中毒，甚至死亡。

癞蛤蟆除了是除虫能手，还有极高的药用价值，它的皮肤腺、耳后腺分泌的乳白色浆液能够放在面粉里加工成名贵中药蟾酥，可以起到解毒、止血、止痛、强心等作用。

为什么蛇没有脚却能爬行得很快呢？

在我们的印象里，蛇能够很快地爬行，所以有一种说法为"蜈蚣百足，行不如蛇"。但正如我们所知的，蛇身体细长，没有脚，为什么能够爬得那么快呢？

其实蛇不是天生就没有脚的，它的祖先是有脚的，如今一些蟒蛇还有后肢的痕迹，只是后来慢慢退化成没有脚的动物。蛇没有脚还能爬得相当快，是因为它独特的运动器官和运动方式。

仔细观察蛇的外形，会发现它全身都包裹着一层鳞片，这层鳞片是由皮肤最外层的角质层变成的，叫作角质鳞。鱼也有鳞片，但是鱼的鳞片是皮肤最里层的真皮层变成的，所以相对来说，蛇的角质鳞更加坚韧，不透水，能够防止身体里的水分蒸发，保持湿润，也能够避免机械损伤。

在一些很久没人住的老房子里，有时候会碰到一条长长的蛇皮，那是蛇蜕下的皮。蛇每生长一段时期，都需要蜕一次皮，因为鳞片不会随着身体的长大而长大，为了适应身体新长的鳞片，所以要进行蜕皮。蛇的鳞片也是它没有脚却能快速爬行的主要工具。

蛇身上的鳞片分两种：腹鳞和体鳞，腹鳞呈长方形，比较大，在腹面中央，它通过肋皮肌和肋骨相连；体鳞则在背面和腹鳞的两侧，比较小。

蛇有一种特殊的爬行方式，叫作履带式运动。蛇没有胸骨，它通过肋骨前后自由活动，肋骨与腹鳞之间有肋皮肌相连，所以当肋皮肌收缩时，肋骨便向前移动，和肋骨相连的鳞片也会带动起来，稍稍翘起的鳞片就像很多只脚一样踩在地面上，将身体推向前方，这种运动方式使蛇像坦克一样呈直线向前爬行。

蛇很多时候呈波浪状运动，这是因为它有一种能让身体左右弯曲的能力。蛇身体的前端，有一对椎弓突，与前一个椎骨的后端的椎弓凹构成关节，所以蛇看上去是一小节一小节的，这样使得蛇的椎骨更牢固地连接，身体弯曲起来也更加灵活。蛇通过体侧不断对地面施加压力，使之快速前进。

蛇不仅能在地面上爬行，还能爬树。这是因为它的皮肤非常松弛，在鳞片与树木接触时，蛇的身体内部先向前滑行，皮肤从后往前移动，这样使得皮肤与树木的摩擦加大，有助于它攀缘树木。如果将蛇放在光滑的玻璃上，它身体的皮肤和玻璃之间摩擦力小，它就只能一动不动，"寸步难移"了。

鳄鱼为什么会流眼泪？

鳄鱼是一种长相丑陋、生性凶猛的动物，体形最长可达七八米。它的嘴巴特别大，全身上下披着一层鳞甲，一排锋利如钢的牙齿，让人为之害怕，所以也有"世上之王，莫如鳄鱼"的说法。鳄鱼如此身强力壮，却在吞食弱小动物的时候，会流出"悲痛的泪水"，这是为什么呢？

其实鳄鱼会流泪并不是因为伤心或是多愁善感，而是一种自然的生理现象，它们流泪的目的是为了排出身体内多余的盐分。所以鳄鱼流眼泪是一种假慈悲，后来人们也用"鳄鱼的眼泪"来讽刺一些假怜悯的伪君子。

一般来说，动物的排泄器官是肾脏，而科学家发现鳄鱼的肾脏已退化，它的排泄功能并不完善，所以体内多余的盐分要依靠一种特别的盐腺排出去。人和大多数动物是靠汗和排尿来排泄体内多余的盐分的，而鳄鱼的盐腺刚好位于眼角处，所以只能靠流泪来排泄。

科学家还发现，很多其他动物的眼角也有像鳄鱼那样的小囊用来去除体内多余的盐分，比如海龟、海蛇、海蜥和一些海鸟等。这些动物的盐腺结构大同小异，中间有一根导管，四周分布着几千根细管，这些细管通过和血管交错将血液中的盐分离析出来，这些多余的盐分就通过中间的导管排泄到体外，而导管的开口在眼睛周围，所以就好像真的在流泪一样。科学家将鳄鱼的眼泪收集起来，发现这里面的盐分很高，也就是说，那不是泪水，而是盐水。鳄鱼通过眼角的盐腺来排出体内多余的盐分，得到淡水使身体得以吸收，因此，盐腺也成为一些海生动物的"海水淡化器"。

在大海上航行的船只，必须带上很多淡水才能长时间在海上停留，但是这使得船只的有效负荷下降。所以，科学家也正在模拟鳄鱼的盐腺来排盐，制作出一种体积小、重量轻、实用的海水淡化器。

我们吃的燕窝就是家燕的窝吗？

燕窝，顾名思义，就是燕子的窝，它是中国传统的名贵食品之一，也是中药里的一味贵重的药材，但是这个燕窝并不是普通家燕做的窝，而是一种特殊的燕子——金丝燕的窝。

金丝燕主要生活在亚洲热带地区的海岛上，它比家燕略小，背部的羽毛呈暗褐色，闪现着金丝光泽，它的翅膀尖而长，首尾像燕子的形状，因而取名为金丝燕，但是它和我们常见的家燕毫无亲缘关系，属于不同的科目。金丝燕喜欢群居生活，它们常常成百上千只居住在海岸或者临海峭壁上深暗的岩洞里。

金丝燕是怎么筑窝的呢？

金丝燕每年三四月份产卵，在产卵前，它们要做窝来饲养后代。金丝燕的咽部有着发达的舌下腺，能够分泌黏性的唾液，燕窝就是这些唾液做成的。在产卵前，它们将唾液一口一口吐出来，这些唾液会在山洞的潮湿空气下自然凝结，过20多天后，积少成多的唾液就成了一个洁白晶莹的小窝。燕窝呈半月形，直径六七厘米、深三四厘米，像一个碗碟，也像人的耳朵，富有弹性，附在岩石峭壁上。

一年中，金丝燕能够做几次窝。第一次做出的窝营养价值最高，因为完全是由唾液凝结成的，是燕窝中的上等品，如果人们把它们第一次做的窝采集走后，勤快的金丝燕会马不停蹄地开始第二次筑窝。

由于唾液在第一次做窝时用了很多，所以这次的窝只能用身上的绒毛，再加上剩下的一点点唾液拌在一起做成，这种窝相对来说质量较差。

当金丝雀第二次做的窝又被人们采走后，它会继续做第三次窝。这次的唾液只剩很少的一点，身上绒毛也很少了，但是顽强的鸟儿们并没有放弃，它们每天飞向海面和高空，一口一口地采来海藻、植物纤维等，将很少的唾液混合在一起，将窝做成。可想而知，第三次的窝也是质量更差的窝，这个时候，采窝的人考虑到如果再继续采集，就会影响到下一年燕窝的质量，不会再继续采了。

因此，燕窝是金丝燕用自己的唾液一点一滴积聚起来的，它的珍贵不仅在于营养价值高，还在于金丝燕的勤劳和付出啊！

白兔的眼睛为什么是红色的？

家兔的品种很多，毛色也各种各样，如白色、黑色、茶褐色、灰色等，如果你留心观察，会发现兔子的毛色和眼睛的颜色是一致的。这是因为不同种类的兔子身体里含有不同的色素，如黑色的兔子，眼睛就是黑色的；灰色眼睛的兔子，身体里含有灰色色素，毛色也是灰色的。但是，我们发现，白色的兔子皮毛是白色的，眼睛却是红色的，这是怎么回事呢？

这是因为白色的兔子身体里不含色素，所以它的皮毛是白色的，而它的眼睛其实是无色的，我们所看到的红眼睛，是眼球里红色的血液所反映出来的颜色，而不是眼球的颜色。

狼为什么喜欢在夜晚嚎叫？

在偏僻的山村，一到晚上夜深人静的时候，常常可以听到狼群的嚎叫声，让人感到毛骨悚然，在牧区里，狼一般也在夜间伤害羊群，让牧民更加警惕。那么狼为什么爱在夜间嚎叫呢？

每一种动物，都有着自己的生活习性。狼是一种凶猛的野兽，基本上是肉食动物，主要以鹿、羊、兔子及一些家禽为主食，偶尔也会吃植物性的食物，狼最大的本领是利用群体的力量，捕杀比它们大的动物，有时候甚至会伤害人。它们生性机警，昼伏夜出，是一种夜行性动物。

每到傍晚，饥饿的狼一边走一边发出低声的嚎叫，成群结队地开始出来寻找食物，其实，狼发出这种低沉的嚎叫是种狼群间传递信息的一种手段。

情况不同，动物发出的叫声也会不同，狼在夜晚嚎叫，是想要呼唤其他同伴集群出去寻找食物，如母狼一般会发出嚎叫声呼唤小狼，公狼又会呼唤母狼，集群后再一同外出觅食，这样遇到大而猛的敌人也会有更强的战斗力。有的时候，动物的叫声和繁殖习性相关，比如鹿类，在繁殖期间，雄鹿会发出特别的叫声以寻求配偶，而狼也会用嚎叫声寻找配偶。幼狼在饥饿时也会发出尖细的叫声向母亲索要食物。

有时候，我们会发现狼经常会在夜晚冲着月亮嘶吼，这其实是人们的一种主观错觉。为了让叫声传得更远，狼习惯站在比较高的地方，而在晚上人们从低往高看时，很多时候会有明亮的月亮作为衬托，于是渐渐就有了"冲月亮嘶吼"的说法。

为什么马有一张大长脸？

马的大长脸特别引人注目，只要稍微观察一下就会发现，所有的马脸都很长，这是为什么呢？

马和牛都是食草性动物，但是马的脸要比牛长很多，有人对此感到很奇怪，于是对马的大长脸加以研究。其实马的脑袋并不长，只占脸的1/3左右，它的嘴巴倒是又大又长，像一个长方形的木箱子。所以与其说马有一张大长脸，还不如说它有一个长长的嘴巴。

马和牛一样都是吃草，但不同的是牛有反刍现象（进食一段时间后将半消化的食物返回嘴里再次咀嚼），而马没有，它不能将没有咀嚼过的食物储藏到胃里，只能依靠特别大的马嘴。

但是马也有自己的优势，它在吃草时能分泌大量唾液，这些唾液里含有盐分、黏液和带矿物质的水，能够将吞食的干草进行软化，有助于它吞咽食物和吸收养分，这时候，马的长嘴就像一个箱子，起着仓库的作用，将草收集起来，以便大口地吞咽。

马的大长脸还有其他的用处，比如观察敌情，防御敌害。仔细观察可发现，它的眼睛长在脸的上部，分布在头两侧，耳朵长在眼睛旁，向上竖起，所以，当它把嘴伸进茂密的草丛中吃草时，不用抬头就能够眼观六路，耳听八方了。

为什么骡子不会生小骡子？

生物界都有着一定的遗传规律，在植物界，就是"种瓜得瓜，种豆得豆"；在动物界，就是大猪生小猪，母鸡孵小鸡。但是自然界是千奇百怪的，也会出现例外，比如，骡子就不能生小骡子，因为它是马和驴生的"混血儿"。

一般我们将公驴和母马交配所生的驹叫"骡"，如果是公马和母驴交配，生下的叫"驴骡"。

骡子作为高等动物，也是由受精卵发育而成的，受精卵中的卵细胞来自雌性动物的卵巢，精子来自雄性动物的睾丸，而骡子，作为马和驴的杂交种，生殖系统比较完善，但是它们的生理机能不正常。动物科学家对此进行了研究，发现公骡子身体里缺少某种激素，使公骡子虽然能产生精子，但精子不成熟；母骡子虽然也能产生卵细胞，但是它们的身体里缺乏助孕素，使卵细胞很衰弱，得不到保护，也不能成熟。所以，骡子无法生出小骡子。

南极为什么没有北极熊？

北极熊是北极的代表性标志，又叫白熊，身长 2.4~2.6 米，体重一般为 400~750 千克。它个头大，性情凶猛，是北极的"霸主"，个头仅次于阿拉斯加棕熊的世界第二大陆生食肉动物。

但是，令人疑惑的是，南极洲也是冰天雪地，为什么北极熊只生活在北极呢？科学家对此进行研究，发现这和地质演变以及熊类起源有关。

大约2亿年前，南极洲还没有出现，世界上只有一个"冈瓦纳古陆"，这个大陆非常大，将南极洲和现在的南美洲、非洲、印度、澳大利亚连成一片。随着地球上的地壳运动和海洋扩张，冈瓦纳古陆开始分裂，南极逐渐滑向最南方，和其他大陆分离，直到距今大约6600万年前，南极才稳定下来自成一块，成为现在地球上的"第七大陆"。

熊类在地球上出现得比较晚，它们大约在2200万年以前出现，也就是说，它们比南极洲的形成要晚几千万年。当它们出现在地球上时，南极洲早已经是一个四周被大洋包围的冰雪大陆，汪洋大海将陆生北极熊与南极大陆隔绝，北极熊这种笨重的动物就无法到达南极洲了。

母鸡生蛋后，为什么会咯咯地叫？

母鸡生蛋后，总爱大声地咯咯叫，好像在向全世界宣告它的贡献，有人说，它咯咯地叫是为了向主人通报。

其实，母鸡生蛋后咯咯叫是一种兴奋的行为，因为生下一只蛋并不是一件容易的事，它要在窝里待上较长的时间才能将蛋顺利生下来，一般来说最短也要10~20分钟，有时候甚至会孵上四五个小时才能生下一个蛋。

如果这个时候你去捉刚进窝准备下蛋的母鸡，它会拍着翅膀逃跑；但是如果它在窝里孵了一段时间你再去捉它，它只会用嘴狠狠地啄你，竖着鸡毛反抗，而不会离开窝，因为这个时候它正在集中精力地下蛋，或许鸡蛋已经到了泄殖腔口（腔门口）了。

母鸡生蛋会消耗很多体力，所以生好蛋后它会在窝里休息一定时间，养好精力后，它就会高兴地跳出窝，精神异常兴奋，也会觉得十分轻松，就不停地咯咯地叫。

母鸡的叫声不仅能体现母性的自豪，还可以引诱公鸡。在养鸡场，有人发现公鸡会默默地等在蛋窝旁边，当母鸡离开蛋窝"高歌"的时候，它就会上前交配。据专家研究，这时公鸡和母鸡交配，之后的第二天生的鸡蛋最容易孵出小鸡。

植物有血型吗？

众所周知，人和动物都有血型，但你知道吗，其实植物也有血型，这个惊人的发现是日本研究人员在一起谋杀案中偶然发现的。

在 20 世纪，日本有个妇女死在卧室的床上，现场留有血迹，警察对血迹进行化验，发现死者血型为 O 型，但是枕头上发现了 AB 型的血，于是怀疑为他杀。但后来警察并没有发现有凶手作案的其他依据。这时，有人猜想，莫非和枕头内的荞麦皮有关系？法医山本决定抱着试一试的态度对荞麦皮进行化验，意想不到的是，荞麦皮的"血型"确实是 AB 型。

这个实验给了山本很大的启发。此后他又对 500 多种植物进行了化验，发现植物有各种各样的血型，比如苹果、草莓、南瓜、西瓜等 60 种植物是 O 型血，珊瑚树、罗汉松等 24 种是 B 型血，李子、葡萄、荞麦等属于 AB 型，不过至今还没有发现 A 型血植物。

植物没有红色的血液，为什么也会有血型呢？

植物的血型和人类的不同。植物的血是一种形态像血的红色液体，它没有人类或者动物血液所具备的运输养分、携带氧气等生理功能，但植物有着类似人体中附在红细胞表面的血型物质——血型糖，植物的血型物质决定了植物血液的类型，而且它还能为植物储存能量，起到保护植物的作用。

为什么黑色的花很少见？

花儿有各种各样的颜色，红的似火，白的像雪，粉的如霞……万紫千红，非常漂亮，但是在色彩缤纷的花的世界中，我们却很少看到黑色的花。植物学家曾对 4000 多万种花的颜色做过色彩统计，发现黑色的花只有 9 种，为什么黑色的花很少见呢？

其实，花的颜色和花瓣反射吸收太阳光有关，太阳光由红、橙、黄、绿、蓝、靛、紫七种颜色组成，光的颜色不同，热效应也不相同，黑色或深颜色物体能够吸收各种颜色的光，吸光能力强，而花瓣一般比较柔嫩，如果花朵是黑色的，能够吸收大量光，容易被高温伤害，就像我们一般不喜欢在夏天穿黑色的衣服，因为黑衣服吸光多，会更热。另外，昆虫在传播花粉时更青睐于艳丽的颜色，所以黑色的花会被昆虫忽视。因此黑色的花在现实生活中是比较少见的。

发霉的花生为什么有毒？

花生是一种人们喜爱的营养丰富的食品，它含有很多种人体所需的微量元素，因此很多人家里都会备一些花生，但是花生如果存放不当就会发霉。有的时候我们在吃花生时，偶尔会吃到带苦味的，其实这就是发霉变质的花生，这些发霉的花生不能清洗、晾晒后继续吃，因为发霉花生中带有大量的霉菌和霉菌分泌的毒素。

花生中含有丰富的蛋白质、脂肪和碳水化合物，因此霉菌特别喜欢在花生中生长繁殖，一旦温度和湿度适宜，花生就很容易被霉菌感染。发霉的花生中含有大量的黄曲霉菌，科学家研究发现，如果温度较高，湿度较大，黄曲霉菌就会在花生上大量繁殖，并且分泌黄曲霉素。黄曲霉素有很大的毒性，并且有着极强的致癌性，是世界上公认的肝癌发病的重要因素，会对人们的身体健康产生极大的危害。

另一方面，由于发霉的花生上面有大量的霉菌，霉菌生长繁殖时会吸收花生的绝大部分营养，所以原本营养丰富的花生也被霉菌完全消耗了。因此，吃了发霉的花生是百害而无一利的。

哪一种植物最毒？

世界上很多人喜欢探险。如果你走在西双版纳或者海南的热带雨林里，那就要特别小心，因为你一不留意，就有可能碰上世界上最毒的植物——箭毒木。这种树很高大，一般高25~30米，一年四季都是常绿色。箭毒木的树汁有剧毒，是自然界中毒性最大的乔木，被人们称为"林中之王""死亡之树"。

它的毒性威力到底多大呢？箭毒木的树皮和叶子里有一种乳白色的汁液，含有剧毒，一旦这种汁液接触到人或者动物的伤口，就会进入体内引起中毒，表现为肌肉松弛，心跳变慢，大概在20分钟至2个小时内就会心跳停止而死亡，所以人们还称箭毒木为"见血封喉"。在西双版纳的民间有一种令人心生恐惧的说法，叫作"七上八下九倒地"，如果人中了箭毒木的毒，往高处走只能走七步，往低处走只能跨八步，只要走到第九步，就会倒地死亡。如果这种乳白色液体不小心溅入人的眼中，会导致立刻失明，即使是箭毒木的树枝燃烧时放出的烟气熏到了人的眼睛，眼睛也会失明。

箭毒木虽有剧毒，但是它也能服务人类。箭毒木的毒液具有强心、加速心律、增加心血输出量的作用。它的树皮很厚，纤维多且具有弹性，能够用来编制麻袋或者床上褥垫，另外，树干经过处理后也能作为软木使用。

为什么植物晚上也要睡觉？

人和动物都需要睡觉，通过安稳的睡眠来恢复精力。有趣的是，植物也需要睡眠，它们睡眠的方式一般表现为收拢，也就是说，植物的叶子在白天太阳出来时就舒展开来，一到晚上就会闭合，也有的植物是夜开昼闭，科学家把这种现象叫作"睡眠运动"。

比如红三叶草，在明媚的阳光下，每个叶柄上的三片小叶都是舒展的，可是一到夜幕降临时，三片小叶就折合起来，"垂下头"开始睡眠；合欢树也是一种爱睡觉的植物，夏天的傍晚，合欢树的无数小羽片会成对地闭合；还有花生的叶子，一到晚上，它就像被手触碰过的含羞草叶子一样，慢慢向上闭合，表示它要睡觉了。

除了植物的叶子要睡觉，美丽的花朵也需要睡眠。比如睡莲，在白天旭日东升时，它那娇柔美艳的花朵就在水面上慢慢绽放，似乎在微笑着迎接新的一天；太阳落山时，它就会关闭花瓣，进入睡眠状态，因而人们给它起名叫睡莲。

植物的这种有趣现象引起了科学家的注意，为什么植物晚上要睡觉呢？科学家告诉我们，这是植物为了保护自己适应环境的一种正常反应。夜晚的气温比白天低得多，叶子和花朵在夜间闭合能够避免被冻坏，另外，叶子闭合还可以减少水分的蒸发以及热量的散失，所以喜欢睡觉的植物比不睡觉的植物的生存竞争力更强。

植物也会发烧感冒吗？

人经常会感冒发烧，而科学家发现植物也会"发烧"，植物在受到病毒感染时，叶子等部位的温度会上升，有趣的是，植物和人一样，发烧通常也是生病的信号。

植物的体温不是恒定不变的，科学家采用精密仪器对植物进行了测量，发现植物的体温经常变化，其不同部位的体温也不相同。植物体温的变化受什么因素的影响呢？

一般来说，植物的叶子温度变化是最明显的，植物依靠叶子进行蒸腾作用，所以叶子的温度不同也就表现为蒸腾作用的强弱不同。当土壤环境好，温度适宜，水分充足时，叶子就将身体里的气孔全部打开以吸收阳光和水分，蒸腾作用强，这样叶子的温度就比较低；当土壤里的水分不足，在白天阳光的照射下，叶子得不到根部输送过来的水分，水分过多就会关闭气孔，叶子的蒸腾作用也就减弱，温度随之也升高了。

一般的农作物体温比周围的温度高2℃~4℃，若是高于这个温度，就表明植物出现问题了。生病的树木在时间上和人类不同，人们往往是晚上发烧更厉害，清晨则容易退烧，而生病的树木则恰恰相反，它们生病时，早晨发烧的温度比其他时候更高。

是什么原因引起植物发烧呢？

经过仔细观察，科学家发现生病的树木往往是根部先出现毛病，容易影响根对水分和营养物质的吸收，整个树木因为得不到需要的水分而"渴"得厉害时，温度就会升高，叶温也会升高。实验也表明，生病的植物叶子会比正常植物叶子温度高出 3℃~5℃。

所以根据病树会发烧这个现象，人们能够对植物发病做出早期的诊断，有助于及时采取有效的治疗措施，保护更多的树木。

为什么椰树大多长在海边？

在我国南方的海滩上，到处可以看到美丽的椰子树，椰子树的叶子像孔雀的尾巴一样好看，形成了热带独特绮丽的风景。如果我们留心观察，会发现世界上几乎所有的椰子树都生活在热带的海边，这是什么原因呢？

首先，这和椰树的生活习性相关。椰子是一种热带喜光作物，它喜欢生活在阳光、水分充足的沙滩上，其生长的适宜温度是26℃~27℃，所以南方热带地区的海岛边完全能够满足椰树的生长需求。

另外，椰树大都生长在海边还和它的繁殖有关。我们知道，植物一般靠传播种子进行下一代的繁殖，不同的植物也有着传播种子不同的手段：有的借助昆虫来传粉，称为虫媒；有的靠风力传送花粉，称为风媒；还有的依靠水来播撒种子，称为水媒，而椰树就是利用水来传播自己的种子的。

椰树上的果实——椰子成熟后会直接掉到水里，椰子外面的皮是由松软的木质构成的，中间是坚实的纤维，所以椰子在海中不会沉没，它像大皮球一样地漂浮在水面上，随着流水漂流，有的时候可以在海中漂泊好几个月。一旦有机会被潮水冲上海岸，如果环境适宜，它就会在此"安家"，然后生根发芽，长成一棵高大的椰树。

世界上最珍贵的树是什么树？

很多珍贵动物我们都耳熟能详，比如"国宝"大熊猫、金丝猴、白鳍豚等，但是在植物王国，你知道什么树最珍贵吗？

银杉是我国一级保护植物，也叫杉公子，是我国特有的珍稀物种，被人们称为"植物大熊猫"。

银杉的珍贵在于它挺拔而又美丽的外貌。它树形优美，树干通直，树冠如塔。枝叶非常茂密，色泽暗绿，叶片像杉木的叶子一样扁平，在叶子的背面有两行银白色的气孔带，当微风吹来的时候，阳光照射下饱含露珠的叶片银光闪闪，美不胜收，因此人们给它取名为银杉。

银杉的珍贵还在于它的稀有。远在2亿年前，银杉曾广泛地分布在北半球的亚欧大陆，但由于200多万年前的第四纪冰川浩劫，北半球覆盖了大量冰川，许多动植物遭到破坏，银杉也不例外，大多数都灭绝了。由于中国南部的低纬度地区地形特别，巍峨高大的山峰阻挡了冰川的侵袭，加上河谷地区受到温暖湿润的夏季风影响，在这种得天独厚的条件下，像银杉、水杉、银杏等珍贵的古老植物才得以保存。

如今银杉的数量稀少，分布范围小，仅仅只生长在我国广西龙胜花坪自然保护区和重庆金佛山等地方，是中国的国宝，也是世界上最珍稀的树种之一。

猴面包树是什么树？

有这样一种外貌奇特的树。它的树干很粗，最粗的直径可达 12 米，要 40 个人手拉手才能将它围住，但是它个头又不高，一般只有 10 多米，可谓是又矮又胖，远远看去，就像一个硕大的啤酒桶，也像一个圆柱形的房子；它的树杈也是千奇百怪，向四周蔓延，反而像树根，整棵树如同"倒栽葱"。这种奇怪的树还有一个奇怪的名字，人们称它为"猴面包树"。

猴面包树一般生长在非洲东部和西部的热带草原上，树形分外醒目，其学名叫波巴布树，是高大粗壮的落叶大乔木，也是世界上最胖的植物，人们也叫它矮胖子树。由于它的树干很粗，人们常常掏空它的树干用来贮水，或者可以当作临时的避身场所，一棵猴面包树可以容纳几十个人呢！有时候野兽也会借助它来避雨，只是为什么人们给它取这么奇怪的名字呢？

原来，人们是根据猴面包树的果实来取名的。它的果实像足球一样大，味甜多汁，猴子、猩猩都很喜欢吃，当果实成熟时，很多猴子、猩猩都会爬到树上摘果子吃，所以人们叫它"猴面包树"。

猴面包树肥大的树干还有一个特点，就是能贮存水源。它树干的木质很疏松，像多孔的海绵，在雨季时，它会拼命地吸收水分，在干旱的季节，当草原上的旅行者干渴时，它的胖树干能够为他们提供水源，所以，猴面包树还被称为"生命之树"。

无籽西瓜为什么没有籽？

我们很多人都喜欢吃无籽西瓜，因为没有籽吃起来方便，并且香甜多汁。但它是如何培育出来的呢？

我们知道，自然界的植物大多数都是通过开花结籽来传宗接代的，但也有少数的只结果不结籽的植物。科学家研究发现，不结籽的植物大多是三倍体植物，无籽西瓜就是属于这一类。

什么是三倍体植物呢？三倍体植物就是指它们体细胞的染色体数为性细胞的三倍。染色体有单倍体、双倍体、三倍体等几种类型，其中染色体为偶数的植物才能产生种子。

无籽西瓜其实也有籽，有时候我们吃到的白色的软软的就是籽，只是它们没有发育成熟而已。有籽西瓜是用瓜里的西瓜籽种出来的，无籽西瓜没有籽，那它是怎么来的呢？其实无籽西瓜也是种子种出来的，但是种子并不是无籽西瓜里的种子，而是先用二倍体西瓜种子培育出四倍体西瓜，这种四倍体西瓜能够开花结果，种子也能正常发育并成熟。

然后，再用经过培育的四倍体西瓜和自然的二倍体西瓜杂交后形成三倍体西瓜的种子。而三倍体西瓜是染色体为奇数的植物，染色体配对紊乱，也不能产生正常的生殖细胞，不会产生种子，所以无籽西瓜就没有籽。

牵牛花为什么在早晨开放？

在清晨，当时针还指在"4"的时候，公园里的牵牛花就竞相开放了。紫的、白的、红的喇叭花朵在枝头迎接太阳，人们因此把牵牛花称为"勤娘子"，因为它是一种很勤劳的花。在晨曦中，人们在公园里呼吸着新鲜空气，观赏着绿叶中的鲜牵牛花，令人神清气爽。但是，一到中午的时候，牵牛花就焉着头枯萎了。为什么牵牛花在清晨开放，中午就凋谢了呢？

每一种植物的生活习性都是经过长时间的自然选择和进化形成的，牵牛花也是一样，它的生长会受到周围环境的影响，比如光照、温度、湿度等。在清晨，空气中水分较多，较湿润，温度适中，阳光柔和，最有利于牵牛花的生长。在这种适宜的环境下，牵牛花的上表皮细胞快速生长，而下表皮细胞生长得相对过慢，所以花瓣就向外弯曲，花也就开了。大多数植物开花也基本是这个道理。

到了中午时分，阳光直射最强烈，空气中的水分也蒸发完了，变得干燥起来，敏感娇嫩的牵牛花自然不能适应这种条件，水分越来越少，最后凋零了。另外，牵牛花是虫媒花，需要蜜蜂、蝴蝶等昆虫来传播花粉，而蜜蜂、蝴蝶更喜欢在早晨活动，牵牛花在早晨开花也更有利于授粉，所以牵牛花一般在早晨开放。

最臭的开花植物是什么？

一说到自然界的花草树木，我们想到的词常是"芳草花香""香气扑鼻"等，其实在大自然，也有很多很臭的花和草，比如植物书上有几十种花草树木用"臭"命名，如臭椿、臭娘子、臭梧桐、臭牡丹、臭灵丹等，还有些植物名字中不含"臭"字，却也包含臭的意思，如鱼腥草、鸡矢藤、马尿花等。这么多臭的植物，到底哪一种最臭呢？

很多人觉得，走在臭梧桐树下，并不臭啊，这是因为它的臭味含在叶子里了，要是你摘一片树叶，碾碎闻闻，就有一股难闻的臭味。鱼腥草也是一种很多人熟悉的臭草，只要踏进鱼腥草的草丛，立马会闻到腥臭味，要是再用手摸摸它，手上的臭气很久都难以消去。这两种植物虽然闻起来让人想要远离，却是极好的草药，人们用臭梧桐来降血压，鱼腥草则可以用来治肺炎。

在热带地区，有一种味道鲜美的有名水果——韶子，但是闻起来有一种恶臭味。在中美洲，有一种叫天鹅花的植物，它外表非常奇特美丽，但是能释放一种死老鼠的恶臭味，让人感到不适。

在苏门答腊的密林里，有一种臭花，叫作巨魔芋，它开花时释放的臭味很像腐烂尸体的味道，也称为尸花。世界上最大的一种花是大花草，也叫大王花，气味同样恶臭，使人感到恶心，所以，世界上最臭的植物，大家公认的是大花草。巨魔芋的花序最大，大花草的花朵最大，它们是两种奇臭的植物，这可能也与它们花的大小和面积有关，花越大，释放的臭味就越多。

水果为什么有酸有甜有香味？

水果有各种各样，不同的水果味道也各不相同，有很多水果还带有香味，比如菠萝，有着强烈的芳香味，人们常常把它放置在室内，使得室内空气变得清香。

水果的酸甜味道是由它们所含的有机酸和糖的比例不同决定的。水果的酸味主要是因为水果所含有的果酸，如柠檬酸、苹果酸、酒石酸等，苹果、桃的酸味主要是以苹果酸为主，葡萄则是以酒石酸为主。而水果中的甜味则是含有各种糖类的缘故，比如蔗糖、果糖、葡萄糖等，芒果、菠萝等主要含蔗糖，柑橘、葡萄则主要含葡萄糖。如果我们吃到还没有完全成熟的水果，比如橘子，会感觉到牙都要酸掉了，这是因为它的单宁酸和有机酸的含量很高，糖分含量少。随着果实的成熟，糖的含量越来越高，酸的含量则少了，所以吃起来酸酸甜甜的。那么水果的香味是由什么产生的呢？

人们发现，不同水果散发出不同的果香味主要由于成熟的水果含有挥发性的芳香物质，一些酸性物质含量高的水果在成熟时会转化成乙醇，化合成酯，散发出浓郁的芳香。据说苹果在成熟时会产生100多种芳香物质，而香蕉成熟后会产生 200 多种挥发性的芳香物质。一般来说，水果要到成熟时才会产生芳香味，过早采摘的水果即使等到它成熟也不会产生芳香味。

冬虫夏草是虫还是草？

冬虫夏草是我国历史上传统的一种名贵中药材，也叫虫草，由于它冬天的时候长得像虫，夏天的时候却在头上长出了一株草，所以人们给它取了这样一个形象的名字。那么它到底是虫还是草呢？

冬虫夏草是动植物的结合，是一种虫草菌。虫草菌是一种真菌，它的孢子只要在土层中遇到蝙蝠蛾幼虫，就会钻进这种虫的体内，形成菌丝体。从冬天到夏天的这一段时期，菌丝体就潜伏在幼虫体内，将其营养物质全部吸干，变成一个硬块，叫作菌核，菌核会暂时处于休眠状态，直到第二年夏天，菌核就会从幼虫的躯壳上长出来，形状极像一株草。所以，冬虫夏草是寄生在蝙蝠蛾幼虫上而形成的复合体。

冬虫夏草一般生长在海拔高的森林草甸或者草坪上，土质不同，它的颜色就不同。生长在森林草甸上的虫草主要呈暗黄棕色，产地大多在四川、云南、甘肃，而生长在草原上的虫草以黄棕色为主，产地主要在西藏、青海。

冬虫夏草与天然人参、鹿茸并列为三大滋补中药材，具有补肺益肾、止血化痰的功效，药性温和，一年四季都可以食用。它在民间有很早的历史，《本草从新》上说，冬虫夏草如同民间重视的补品燕窝一样，相对于其他滋补品，有着更高更广泛的药用价值。

藕为什么会有很多小孔洞？

莲藕是人们常吃的一种蔬菜，将藕切开，会看到断面上有很多小孔洞，所以人们认为经常吃藕可以使人多长心眼，从而变得更加聪明。当然这只是一种美好的愿望，那么，你有没有想过，藕里面为什么有这些小孔洞呢？这些孔又有什么用呢？

植物的形状、大小、结构等都是在长期进化中形成的，有些人认为这些孔是给藕输送水的，这就大错特错了，孔洞其实是给莲藕输送氧气的。

还有很多人把藕当作是莲的根，其实我们吃的莲藕是莲的地下茎，莲藕用它来贮藏养分。我们知道，任何植物的生长都需要阳光、空气和水分。藕生长在水底下的淤泥里，空气很少，如果它长期待在淤泥里得不到氧气进行呼吸，藕下面的根就会腐烂，甚至死亡。为了能正常生长，"聪明"的莲藕就想到一个好办法：通过这些小孔洞与露出水面的叶子彼此连接，形成一个输送气体的系统，这样，叶子将吸收进来的氧气往下运输，经过小孔洞直接输送到根部，这样就保证了莲藕生长所需要的空气。

我们把藕从中间折断，会看到还有很多细丝连接着，这就是我们常说的"藕断丝连"，其实这些丝是用来输送水和无机盐的。切开藕，我们会感觉到这些丝细长并且具有弹性，如果将它们放在显微镜下观察，这些丝都是很多导管像弹簧一样盘旋在一起的，拉出来的藕丝其实就是将"弹簧"拉长了，所以我们将藕折断，这些丝并不一定会折断，还会有弹性地连在一起。

在莲藕的生长期，藕中的小孔洞被堵住的话，莲就会枯萎；同样，如果莲叶被折断了，不能吸收空气了，藕也没有氧气输送到根，莲藕也会枯萎。所以说藕的小孔洞是空气的通道。

香蕉有籽吗？

香蕉是人们喜爱的一种水果，但是你有没有发现，吃其他水果一般都会有一粒或者很多粒种子，但是我们吃香蕉时从来没见过籽。香蕉有没有种子呢？

有些人吃香蕉时发现果肉里面有一颗颗黑点，像芝麻一样大，他们就误认为那就是香蕉的种子，其实并非那样。

在植物王国，有花植物开花结籽是自然规律。香蕉是一种绿色开花植物，也会开花结籽，在很久以前的野生香蕉中，有很多一粒一粒的硬的种子，但是这种香蕉种子又多又大，果肉很少，不仅吃起来不方便，味道也难吃。所以人们就将香蕉进行改良，将野生的香蕉树和芭蕉杂交形成了现在种子少、果实多的香蕉。这种香蕉属于三倍体，香蕉细胞内染色体不平均，所以香蕉的种子不能发育，经过长期的培育和改良，形成现在味甜肉多的香蕉。

没有籽香蕉怎么繁殖呢？其实现在的香蕉都是通过香蕉树根部的

芽进行人工繁殖的。严格地说，现在栽培的香蕉并非没有种子，当我们咬开香蕉，在它的横截面上会有一排排褐色的小点，这就是退化的种子。如果现在去郊区摘野生的香蕉，你会发现它的果实里面有一颗一颗又大又硬的种子，和我们吃的香蕉差别很大，所以，难怪一些不了解香蕉历史的人会认为香蕉本来就没有籽呢。

含羞草为什么会"害羞"？

在日常生活中，我们经常听说一种神奇的小草，只要用手去触碰它，它就会像一个害羞的少女一样立即合拢叶子，因此人们称它为"含羞草"。含羞草为什么会"害羞"呢？

我们知道，植物和动物相区别的一个重要特征是植物没有神经系统，不会对外界行为产生应激反应，但是含羞草表现得像动物一样，这其实和它的生理结构有关。在含羞草的叶柄和叶子的基部，有一个膨大的器官，叫作叶枕，它的周围布满了薄壁细胞，这些细胞对外界的刺激很敏感，当叶子被触碰，叶枕也会受到刺激，这时叶枕内部上半部薄壁细胞的细胞液被排出，下半部的细胞间压力降低，产生了上下压力不平衡的状态，从而出现叶片闭合下垂的现象。含羞草的这种应激行为发生得很快，据科学家测验只要0.08秒，即传导速度高达每秒钟10厘米，一两分钟后，细胞液又开始流回叶枕，逐渐恢复原来的样子。

含羞草会"害羞"是一种生理现象，也和它的生长环境密切相关。含羞草原产于南美的热带地区，气候恶劣，多狂风暴雨，含羞草为了保护好自己，当暴风雨一开始吹动小草时，它就会及时地闭合叶片，垂下叶柄，免受暴风雨的摧残，慢慢地就形成了这种生理现象，这也是生物界的自我适应性。

比钢铁还要硬的树是什么树？

在神奇的大自然中，有一种树木的树干比钢铁还要硬，是树干中的硬度冠军，据说子弹打在这种树上，就如打在厚的钢板上一样，纹丝不动，人们把这种树称为铁桦树。

铁桦树是一种珍贵的树木，高度大约20米，树干的直径有70厘米，能活300~350年，树皮呈暗红色或者接近黑色，上面密密麻麻地积聚着白色斑点，树叶是椭圆形状。铁桦树分布地区不广，主要集中在朝鲜南部、朝鲜和中国接壤地区、俄罗斯海滨一带。

铁桦树的木质坚硬，硬度是橡树的三倍，是钢铁的一倍，被称为比钢铁还要硬的树，也是世界上最硬的木材，在一些情况下还能代替钢铁用于国防工业。据说前苏联就利用铁桦树的树干来制造快艇上的滚球、轴承。

除了硬度，铁桦树的木质质地极其致密，如果将它放进水里，它不会像其他普通树木一样漂浮，而是直接往下沉。如果将它长时间浸泡在水中，它的内部不会透水，仍能保持干燥。

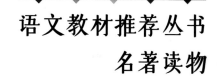

语文教材推荐丛书
名著读物

核心考点专练

米·伊林
十万个为什么

核心考点专练

 片段阅读

片段1

大约在300年以前，即使是身为国王，也不能做到每天都能洗漱。在奢华无比的法国皇宫之中，你可以找到巨大的床，这床大到没有特殊工具"铺床棍"的帮忙都无法铺好；你也可以找到华丽的幔帐，这幔帐挂在镀金的四根柱子上垂坠而下，置身其中仿佛在一座小型的神殿；你还可以找到昂贵的地毯、威尼斯产的镜子和做工精良的时钟……但你就是无法找到一个洗脸盆。

每日清晨，仆从会递给国王一块沾湿了的毛巾，供国王擦脸擦手，这种清洁方式在当时已经足够满足他们的需求了。

让我们把目光转向莫斯科，莫斯科的人们是当时欧洲公认爱清洁的。有外国人来到莫斯科，看见这里有许多的澡堂甚至觉得十分奇怪。柯林斯医生曾写道："在莫斯科，澡堂随处可见且必须存在，这不仅可以带来许

多收益，更是因为宗教信仰要求俄国人必须要洗澡。在寒冷的冬日，他们常常会洗冷水澡，甚至有人会从澡堂子里光着身子跑出来，去雪地里打几个滚儿，再回到澡堂子里去，乐趣无穷。"

让我们再看看巴黎。那里的人们一个月只换一到两次衣服，到了晚上便把自己脱得光溜溜的，裸着身子入睡。在那个时代，人们只关心衣服袖口的花边是否名贵，胸襟上的绣花是否漂亮，却不关心衣服到底干不干净。

片段2

其实在很早之前人们就发现，在长途旅行之中，因为缺少新鲜的水果和蔬菜，人体会逐渐虚弱、生病甚至死去。

在大海之中航行，往往需要数月的时间，而在海上漂泊的船员们，通常吃不到新鲜的果蔬，只能吃一些易于储存的腌牛肉和干面包。长此以往，他们便容易生一种病——坏血症。早期的船队经常发生这样的情况，风暴和海盗不会使他们绝望，而坏血病却能让整支船队毁灭。

就连14世纪著名的航海家、探险家瓦斯科·达·伽马也没能逃过这种命运。在一次航行之中，他的160人的探险队中，有100人死于坏血病，让整个船队遭受到了毁灭性的打击。

　　而在 18 世纪，另一位航海家库克之所以能周游世界，带领着他的探险队员们顺利完成航海任务，正是因为他吸取了葡萄牙人的教训。每次登岸时，都会补充甘蓝、橘子和柠檬等一些新鲜果蔬放进船舱，从而避免了坏血病对他们船队的危害。由此可见，蔬菜和水果之中含有人体中必需的某种特殊物质。

　　当一种物质被我们发现，却无法说出它的名字时，它还是神秘莫测的。但当我们逐步深入研究快要发现它的名字时，就已经成功了一半。现下也是如此，科学家们发现了新鲜果蔬中含有人体所需的某种物质，只知道它对人体有益，对它还没有了解透彻。但当人们逐步探索，并建议将这种在牛奶中或者果蔬中含有的物质叫作"维生素"时，历史前进的车轮已经势不可挡了。

片段 3

　　熟铁制成的拨火棍看起来质地粗糙，表面覆盖着一层褐色的氧化铁皮。它不容易弯曲，但一旦弯曲就不容易伸直，而且十分结实耐用，无论你怎么去敲击它，它都不会折断。

　　钢制的小刀泛着光亮的外表，刀刃锋利无比。它有一定的弹性，弯曲后可以自己伸直。但如果弯曲得太厉害有可能会断裂。这种特性决定它的使用用途，刀具最合适，不适合做成拨火棍。

生铁制成的小饭锅，已经浑身黝黑，外观不那么漂亮了。这是因为生铁中含有大量的碳所以它很容易碎，真是既不漂亮还很脆弱。生铁的这种特性，决定了它不适合做拨火棍、钢刀，但是作为在火上反复灼烧的饭锅是可以的。

片段 4

市面上很多铜炖锅的外形颜色是红色，我们称这种材料为红铜，红铜其实就是我们说的纯铜。而另一口黄铜炖锅的材料实际上不是纯净的铜，而是铜和锌的合金，黄铜里面只有一半是铜，最多也不会超过 2/3。

要想知道其中锌所占的比重，从它的颜色就能得出结论：锌的含量越多，黄铜的颜色则越浅，当锌超过一半以上，黄铜就会接近白色。

铜炖锅在洗干净后是要立即擦干的，如果没有将它擦拭干净，它的表面会很快被一层褐色或绿色的东西覆盖，这就是铜锈。铜锈和铁锈是否也会对铜产生致命伤害呢？实际上它们之间区别很大，铁锈会顺着脉络直入内里，而铜锈滞留于表层不再深入。这就是我们常说的铜被氧化了。

 **好句** 大宝库

1.水是生命之源，水分是人体之中必不可少的组成部分，只要你活着，拥有呼吸，就在一刻不停地消耗水分。

2.而在我们人体这个炉子里，燃料就是我们摄入的食物，食物在经过"燃烧"后变成了热量，维持着我们的机能。

3.而这些奇迹的创造者，正是挽着衣袖、系起围裙的家庭主妇。

4.那是因为这些淀粉藏了起来，它们藏在了马铃薯的细胞里，这些细胞就好像是储藏淀粉的小储藏室。

5.各类营养物质不但作为"建筑材料"构筑了我们身体，又作为燃料，不停地产出能量，维持我们身体的正常运转。

6.这个问题很好，我们要保持这种发散的思维，持有一种怀疑的态度，就能发现更多的可行性。

7.如果玻璃不能熔化，不是"硬的液体"，那我们如何将它制作成形状各异的器皿呢？

8.这个玻璃泡就是制成杯子、瓶子，甚至窗户上玻璃片的基础。

9.在宫廷里的妇女们梳妆打扮的时候都有了精美的

玻璃镜子，但那些逃去法国的威尼斯工匠们从此再无人记起。

10. 如果说将人体的身体比作一个火炉，那么食物就是让炉子烧得更旺的木柴，食物进入人体消化吸收后会产生热量，让人觉得温暖。

一小时刷完这些题

一、作品文学常识

1.下列说法中有误的一项是（　　）

A.《童年》的作者是美国人。

B."骆驼祥子"是对祥子命运和性格的一种概括。

C.《傅雷家书》主要讲的是如何教育孩子。

D.穿三件衬衫比穿一件三倍厚的衬衫暖和。

2.下列表述中不正确的一项是（　　）

A.傅雷是我国著名的文学家、翻译家、文艺评论家。

B.绿色玻璃瓶是用普通的黄沙、碱和白垩混合制成的。

C.祥子的第一辆车被抢走以后，千辛万苦积攒的第二辆车的钱被张侦探洗劫了。

D.《昆虫记》中记录了塔蓝图拉蜘蛛易于驯服。

3.下列表述与原著不相符的一项是（　　）

A.傅雷素来主张教育的原则，即父母应该给孩子的人生信条是：先为人，次为艺术家，再为音乐家，终为钢琴家。

B.《童年》中，阿廖沙是一个倔强、富有同情心、不断追求梦想的孩子。

C.世界上最早掌握烧制陶器技术的是中国人,早在1700年以前就已经掌握了这项技术。

D.《昆虫记》中,蜜蜂能准确辨别方向不是因为有超常记忆力。

4.下列表述中有误的一项是(　　)

A.傅雷告诉儿子,想着过去的艰难,让你以后遇到困难时更有勇气去克服,不至于失掉信心!人生本是没穷尽没重点的马拉松赛跑。

B.法布尔称赞黄蜂的建筑才能,认为在这一点上它远胜于卢浮宫的建筑艺术智慧。

C.铜锈会顺着脉络直入内里,而铁锈滞留于表层不再深入。

D.《童年》中,阿廖沙第一次搬家是因为家里着火了。

二、作品人物形象

1.阅读文段,回答问题。

（一）

左纶听说这件事后,仿佛失忆一般忘了自己对标特格尔的所作所为,一个劲儿地对外人夸耀自己的药店出了一个大名鼎鼎的炼金术士。顾客们听后,淡然一笑,纷纷恭维他:"正是因为有你这样的好老师,才能教出优秀的学徒啊。"

（二）

这下，连左纶都无法吹牛自己有个优秀的学徒，他瞬间变脸，和众人一起嘲笑道："我就说标特格尔是个骗子，像他这种人就该被送到绞刑架上。"众人面面相觑，不久之前他还炫耀自己的学徒，如今却被他抛之脑后了。

（1）左纶前后不一的反应，说明他是一个_____的人。

（2）有人认为标特格尔是一个勇于追梦的人，有人则说他是一个只知道追求金钱利益的人，对此你怎么看？

2. 阅读文段，回答问题。

但是这种制作方法并没有被大规模地推广，因为这项技术只掌握在少数人的手里。在近300年之前，镜子制造的方法只掌握在威尼斯人的手里，他们不仅对制作镜子的方法秘而不宣，还制定了严苛的法律条文，若是有人胆敢泄露秘密将会被处以死刑。威尼斯政府将所有的玻璃制造厂都搬去了穆拉诺岛，并禁止一切外国人靠近。

（1）为什么威尼斯人不公开制作镜子的方法？

（2）威尼斯人的做法你是否赞同？为什么？

三、作品主要内容

1.阅读选段，回答问题。

家庭主妇在准备烘烤面包的时候，她会准备好做面包的原料：水、酵母粉、盐。她先将面粉倒入盆中，再撒上一点酵母和盐，然后放入水，卷起袖子开始用力揉面。在揉面的过程中，面筋将周围又轻又分散的面粉颗粒凝结到一起，变成了一个又大又柔软的面团。最后当它们都完美地融合在一起后，她再给面团上盖好东西，放在温暖的阳光底下，让面团慢慢发酵。

在阳光底下，面包开始发生奇妙的变化。酵母悄悄进入面团之中，微型的二氧化碳制造工厂便开始持续工作，不断地产出二氧化碳。这群活泼的二氧化碳遇到了柔韧的面筋，无论二氧化碳怎么跑，面筋都能把它们牢牢地束缚在面筋囊之中，不让它们出去。

随着二氧化碳持续性地增多，面团开始不断地膨胀起来。等到面团发酵好之后，家庭主妇将它们切成面包胚子，放入烤箱开始烘烤。在那里面，面团又开始了新的旅途。

（1）请根据上文内容，将烘烤面包的过程补充完整。

揉面—（　　）—切面包胚子，放入烤箱烘烤。

（2）面团发酵的过程中，面筋将＿＿＿＿＿＿＿＿牢牢地束缚在面筋囊之中，不让它们出去。

2.阅读选段，回答问题。

造成这些问题的关键在于材料的不同属性和特点。材料们也是个性特异的，有的怕酸、有的怕水、有的脆弱易碎、有的粗糙抗震。比如说小饭锅，它可以使用生铁或者铜来制作；又比如说茶壶，它也可以使用铜或者镀锡铁来制成。但是，若用生铁或者镀锡铁来制作拨火棍，那是不能使用的。镀锡铁材质的拨火棍非常容易弯曲，而生铁材质的拨火棍则遇到火就会断裂。

由此可知，选择材料是一门学问，我们必须考虑它的用途，依照用途再来做选择。

（1）请用横线画出以上文段的中心句。

（2）为什么小饭锅可以用生铁来制作？

四、作品阅读鉴赏

1.阅读文段，完成赏析。

干燥的松木柴在火炉中烧得噼啪作响，火焰在跳着欢快的舞蹈，像是一个热情的乡村音乐教师带着炉灶上的群众蹦蹦跳跳。蓝色的搪瓷茶壶，玩杂技一般把自己的盖子抛向空中又稳稳接住；平底锅激动地颤抖着，发出咯吱咯吱的声响；就连体积最大的铜炖锅也加入了欢腾的队伍，肚子里的沸水不断翻滚，甚至溅到了隔壁邻居生铁小锅的身上。

这是充满欢乐的厨房，不过我们也可以把它当成一个化学实验室。因为这里发生的一切，正是一种物质朝另一种物质的转换，它们变得和原来完全不同，这不正是化学实验吗？

（1）作者认为我们可以把厨房当作＿＿＿＿＿＿＿。

（2）以上文段中运用了什么手法？请具体赏析。

2.阅读文段，完成练习题。

如果我们的身体能缩小到钻入陶器的缝隙之中，一定会对里面的构造感到惊奇。让我们一起进入其中去探险吧！咦，这里一片漆黑，伸手不见五指。点亮火光之后，我们会发现自己仿佛置身于蜿蜒起伏的岩洞之中。这个岩洞四通八达，贯穿黏土颗粒构成的整个石壁。渐渐地，我们穿过了漆黑的地方，走向了光明。

我们迫不及待地朝光明处奔去，发现前面是一道透明却无法穿透的墙，我们继续朝其他的路奔去，依旧如此，最后不管怎么尝试都会遇到这个透明的墙壁，岩洞的出口彷佛被封住了一般。是的，封住它的就是透明的釉。

（1）以上文段是在描绘作者在_____里的奇遇。

（2）请找到其中手法精妙的句子进行具体赏析。

五、综合训练

你最近在看的这本《十万个为什么》，引起了你家大厨的注意，为了考查你在这本书中学到的知识，你家大厨向你发起了挑战，请你接受挑战，开始今天的大冒险吧！

1. 对战之前，请给你的战队起一个响亮的名字，并且准备一句充满气势的口号！

2. 请你在 10 分钟内写出你的拿手菜的菜谱。

3. 最后一关你需要完成你的拿手菜，但是因为操作失误，导致油锅起火，此时你应该怎么做？

参考答案

一、作品文学常识

1.A 2.C 3.D 4.C

二、作品人物形象

1.（1）自私、虚伪、无耻

（2）（开放性答题，言之有理即可。）

2.（1）因为他们想要把利益占为己有，不愿意与别人分一杯羹。

（2）（开放性答题，言之有理即可。）

三、作品主要内容

1.（1）发酵

（2）二氧化碳

2.（1）由此可知，选择材料是一门学问，我们必须考虑它的用途，依照用途再来做选择。

（2）饭锅需要在火上反复灼烧，生铁能够满足这样的用途。

四、作品阅读鉴赏

1.（1）化学实验室

（2）拟人——原本按部就班没有任何惊喜的厨房，在作者眼中却充满了趣味，松木柴、搪瓷茶壶、平底锅、铜炖锅都化作可爱的人，在厨房中展示自己的风采，让人跟着心生欢喜。

2.（1）陶器

（2）"我们迫不及待地朝光明处奔去，发现前面是一道透明却无法穿透的墙，我们继续朝其他的路奔去，依旧如此，最后不管怎么尝试都会遇到这个透明的墙壁，岩洞的出口仿佛被封住了一般。"

赏析：此处运用了想象，将读者带入陶器内部，让读者跟随第一人称的描述，见到了外面那层封住小孔的釉，并把它形容成一道透明无法穿透的墙，带给读者新奇的感受。

五、综合训练

1.开放性答题，如："中华小当家"战队——美味入人心，点点都珍贵。

2.菜谱应该包含菜名、材料、做菜步骤等内容，越详细越好。

3.炒菜油锅着火时，应迅速盖上锅盖灭火。如没有锅盖，可将切好的蔬菜倒入锅内灭火。切忌用水浇，以防燃着的油溅出来，引燃厨房中的其他可燃物。（答案意思相近即可）